l' **ABC**daire

de Georges de

La Tour

Olivier Bonfait
Anne Reinbold
Béatrice Sarrazin

Flammarion

LES QUESTIONS QUE L'ON SE POSE

Redécouverte seulement au début du XXe siècle, la peinture de La Tour jouit aujourd'hui d'une considération internationale. Comment cet artiste si renommé en son temps a-t-il pu tomber dans l'oubli ? À quoi ressemble le foyer lorrain dont il émerge ?

Seul un petit nombre de ses compositions ont été retrouvées à ce jour, et peu sont clairement datées. Est-il cependant possible de retracer l'évolution personnelle du peintre ? Quel est le lien entre le réalisme des scènes diurnes et l'univers des « nuits » ?

Tournés vers la méditation spirituelle ou organisés en réseaux complexes, les regards traduisent chez La Tour une volonté d'explorer l'âme humaine. Comment cette quête s'inscrit-elle dans les grands courants religieux du XVIIe siècle ?

COMMENT L'ABCdaire Y RÉPOND...

Le guide de l'abécédaire p. 6

Il explique comment comprendre La Tour en regroupant les notices de l'abécédaire selon la nature de son art et les circonstances de sa vie. Un code de couleurs indique le genre de chaque notice :

■ Les œuvres :
les sujets du peintre,
l'analyse du style.

■ L'entourage :
la famille,
le foyer lorrain,
les collectionneurs.

■ Le contexte :
les courants esthétiques,
la pratique picturale,
le cadre historique.

Au fil de ces notices, et grâce aux renvois signalés par les astérisques, le lecteur voyage comme il lui plaît dans l'abécédaire.

L'abécédaire p. 27

Par ordre alphabétique, on trouvera dans ces notices tout ce qu'il faut savoir pour entrer dans l'univers de La Tour. L'information est complétée par les éclairages suivants :
- des commentaires détaillés de ses tableaux majeurs ;
- des encadrés qui expliquent ses choix thématiques ou stylistiques et précisent le contexte dans lequel s'inscrit sa carrière.

La Tour raconté p. 11

En tête de l'ouvrage, le récit de la vie et le sens de l'œuvre sont resitués dans leur développement historique. Cette synthèse reprend l'articulation du guide de l'abécédaire en développant chacun de ses thèmes.

Chronologie p. 116
Bibliographie p. 119
Index p. 118

G U I D E

I. EN LORRAINE

A. Duché ou royaume ?

Georges de La Tour naît en 1593 à Vic-sur-Seille, petite ville de Lorraine dépendant alors de l'évêché de Metz. Depuis 1552, les Trois-Évêchés sont occupés par la France : le futur peintre est donc un sujet du roi, et ce n'est qu'en 1620, lorsqu'il s'établira à Lunéville, qu'il passera sous la souveraineté des ducs de Lorraine.

■ *Ducs de Lorraine*   ■ *Lunéville*   ■ *Vic-sur-Seille*
■ *Lorraine*   ■ *Paris*

B. De l'Italie aux rivages des Flandres

La Lorraine est alors un pays aux multiples frontières, où les échanges s'effectuent dans tous les domaines. La circulation des œuvres et des artistes emprunte des routes connues, de l'Italie aux Pays-Bas, en passant par la Franche-Comté.

■ *Bellange (Jacques)*   ■ *Europe*   ■ *Leclerc (Jean)*
■ *Callot (Jacques)*   ■ *Flandres*   ■ *Rome*
■ *Deruet (Claude)*   ■ *Italie*

C. Mystique impériale et Église gallicane

La prospérité et l'éclat artistique du duché de Lorraine déclinent avec la crise monétaire qui touche le pays à la fin du règne d'Henri II et les premiers affrontements de la guerre de Trente Ans. Peu touchée par le protestantisme, la région devient l'un des points d'appui de la Contre-Réforme dans sa reconquête catholique. Sous l'impulsion des franciscains, très présents en Lorraine, une nouvelle iconographie religieuse apparaît : l'image doit être à la fois « Bible des pauvres » et support de méditation.

■ *Art religieux*   ■ *Éducation de la Vierge*   ■ *Lorraine*
■ *Contre-Réforme*   ■ *Extase de saint François*   ■ *Nancy*

II. UN FOYER ARTISTIQUE

A. Une communauté pléthorique

Les peintres lorrains constituent une société solidaire, sollicitée par les cours de Nancy ou de Bar pour réaliser divers travaux de peinture, de gravure ou de décoration. Après leur apprentissage chez un maître lorrain, les jeunes peintres accomplissent le traditionnel voyage en Italie ou se laissent séduire par un séjour à Paris.

- *Bellange (Jacques)*
- *Callot (Jacques)*
- *Deruet (Claude)*
- *Gellée (Claude)*
- *Italie*
- *Lallemant (Georges)*
- *Leclerc (Jean)*
- *Maniérisme*
- *Nancy*
- *Paris*

B. L'atelier de Lunéville

La carrière de La Tour se déroule principalement à Lunéville, où vit la famille de sa femme. Il y bénéficie de la protection ducale et connaît vite le succès auprès d'une clientèle noble ou bourgeoise. « Seigneur du lieu », il défend âprement ses privilèges dans une Lorraine bientôt ravagée par les épidémies, les guerres, les famines. On sait qu'il fera de son fils Étienne l'un de ses apprentis, mais rares sont les documents qui nous renseignent sur la réalité de son travail en atelier.

- *Collectionneurs*
- *Étienne*
- *Laboratoire*
- *Lunéville*
- *Personnalité*

C. Paris : la mesure d'une gloire

La clientèle locale semble apprécier suffisamment l'œuvre de La Tour pour en demander des copies, et le peintre multiplie les toiles de petit format destinées aux intérieurs bourgeois. Les thèmes plus ambitieux sont repris parfois à des années de distance. À partir des années 1630, La Tour gagne l'admiration du roi et des courtisans que les guerres ont amenés en Lorraine. Paris lui sera désormais ouvert.

- *Admiration*
- *Collectionneurs*
- *Fortune*
- *Madeleine*
- *Paris*
- *Saint Jérôme*
- *Souffleur à la lampe*

III. LA TOUR : LA QUÊTE DU SENS

A. La « brouette des maudits »

Le répertoire nordique et caravagesque fournit à La Tour la plupart de ses thèmes profanes : diseuses de bonne aventure, joueurs de cartes, enfants prodigues… Au-delà du pittoresque, c'est l'âme humaine qu'il s'attache à peindre. Sous la déchéance des corps, la laideur, la misère, la rouerie transparaît toujours une dignité un peu grave.

■ *Apôtres d'Albi*
■ *Caravage*
■ *Diseuse*
    de bonne aventure

■ *Femme à la puce*
■ *Genre*
■ *Jeu, joueurs*
■ *Job et sa femme*

■ *Mangeurs de pois*
■ *Rixe de musiciens*
■ *Tricheur*
■ *Vielleur*

B. Deux lumières, une foi

Si la flamme de la bougie est une source extérieure qui éclaire les corps, il est une autre lumière, spirituelle, qui irradie des corps eux-mêmes. L'une porte à la contemplation, l'autre à la méditation. Théologiens et mystiques aiment à jouer des significations subtiles de la lumière, et La Tour partage cette culture, très vivante en Lorraine.

■ *Lumière*
■ *Bougies et lanternes*
■ *Adoration des bergers*
■ *Éducation de la Vierge*

■ *Miroir*
■ *Saint Thomas*
■ *Saint Joseph charpentier*

■ *Découverte du corps*
    de saint Alexis
■ *Saint Jean-Baptiste*

C. Le silence et l'immobilité

Lors de la redécouverte de l'œuvre de La Tour, une première chronologie fut proposée, distinguant la période des compositions diurnes puis celle des « nuits ». Une évolution stylistique, allant du réalisme au dépouillement le plus audacieux (peu d'architectures, peu de figurants, peu d'accessoires), semblait suivre une évolution personnelle et spirituelle de l'artiste. Mais les études historiques et scientifiques démontrent qu'il faut renoncer à ce schéma linéaire.

■ *Chronologie*
■ *Dates et signatures*
■ *Laboratoire*

■ *Larmes de saint Pierre*
■ *Nouveau-Né*
■ *Nuit*

■ *Paiement des taxes*
■ *Reniement de saint Pierre*

LA TOUR RACONTÉ

Peintre de la réalité, selon le titre de l'exposition qui consacra sa redécouverte*, ou peintre des « nuits* », selon la désignation de ses toiles dès le XVIIe siècle, Georges de La Tour se place d'emblée sous le signe des contraires. Il n'y a pas, dans son œuvre connu, cette diversité de sujets qui épouse les prédilections d'une école ou d'une époque, et à laquelle s'éprouve puis s'épuise un métier, au fil des propositions d'une vie. Deux blocs s'y font face et, pour bien des admirateurs du peintre, se sont d'abord exclus : en effet quel abîme apparent entre le monde diurne, celui des *Apôtres**, des *Vielleurs**, des *Tricheurs**, et le monde nocturne, celui du *Nouveau*-Né* ou de *Saint* Joseph charpentier*, celui de la méditation de Madeleine* ou de la déploration de Sébastien ! Mais entre eux quel lien essentiel !

L'ambivalence qui porte l'œuvre semble aussi porter la vie. À la générosité manifeste de l'homme, dont la sociabilité et la fiabilité ne peuvent guère être prises en défaut, à l'intérieur comme à l'extérieur de son propre monde, s'opposent les accidents multipliés des dix dernières années de la vie : ces chicanes répétées, ce comportement usurpé de « seigneur du lieu », dénoncé par ses concitoyens ruinés devenus agressifs, ces coups de pied ou de bâton trop généreusement administrés, dans la fureur de l'instant que l'on ne contrôle plus, cernent d'ombres malignes un portrait d'homme par ailleurs si incertain, en l'absence de tout témoignage personnel.

La dualité apparente de l'œuvre et la complexité, sinon la dualité de la vie font miroir. Tantôt le peintre établit l'inventaire d'une malignité humaine dont *La Rixe* des musiciens* est l'une des images les plus éloquentes. Tantôt son œuvre est dialogue avec l'Ange*, figure adolescente qui reste parée de grâce humaine dans *Le Songe de saint Joseph*.

I. En Lorraine
A. Duché ou royaume ?

Que de réalités contradictoires en effet, et pourtant conciliées, lorsque Georges de La Tour naît à Vic*-sur-Seille, siège du temporel des évêques, dont les princes et les maîtres appartiennent encore aux meilleures familles de la noblesse lorraine. Le cardinal Charles, fils cadet de Charles III, occupe le siège épiscopal, Jean des Porcelets de Maillane, gouverneur de Toul et maréchal de Lorraine, est le bailli de la cité ; tout penche en 1593, par tradition, vers la Lorraine* et vers l'Empire, dont l'évêque est prince. Mais les Trois-Évêchés sont occupés par la France depuis 1552, et la protection royale n'a cessé de s'y renforcer. Metz est depuis 1583 aux mains des Nogaret de

L'Ange apparaissant à saint Joseph (détail), 1640-1645. Nantes, musée des Beaux-Arts.

11

Ifrael ex. Cum

La Valette, des soldats français y tiennent garnison, des prélats français remplaceront peu à peu à la tête de l'évêché les cadets de la maison ducale. Georges est né sans équivoque sujet du roi de France.

Se « contremander », c'est-à-dire s'établir à Lunéville* en 1620 après son mariage avec Diane Le Nerf, et par conséquent passer sous la souveraineté du duc* de Lorraine Henri II, ne revêt aucune signification particulière quant à la fidélité politique du jeune peintre. Les sphères d'influence, politique ou religieuse, sont trop imbriquées, correspondent trop peu à des identités territoriales nettement délimitées pour qu'il soit possible d'invoquer une autre notion que celle d'identité lorraine, en toute ambiguïté. Mais cette ambiguïté favorise une plurivalence, une tolérance, qui constituent aussi le terreau de la prospérité lorraine, sous les règnes de Charles III et d'Henri II. Bientôt, lorsque les développements de la guerre de Trente Ans feront du duché un enjeu stratégique majeur, et que Charles IV prendra position contre Richelieu en faveur de l'Empire, cette ambiguïté restera un vivier de comportements. Jacques Callot*, ami des franciscains, refuse certes de graver pour Louis XIII le siège de Nancy*, « parce qu'il estoit Lorrain et qu'il croyait ne devoir rien faire contre l'honneur de son Prince et contre son Païs », rapporte Félibien, mais il ne se prononce pas ce faisant contre la personne royale, et ce n'est un point de vue ni lorrain ni français que développeront _Les Misères de la guerre_, parues en 1633 à Paris, peu avant que le graveur ne prête serment de fidélité au monarque. De même, Georges de La Tour

Jacques Callot,
*Les Grandes
Misères
de la guerre :
le pillage
de la ferme*,
1633.
Eau-forte.
Paris,
Bibliothèque
nationale
de France.

n'aura à sacrifier aux pires moments ni ses amis français ni ses amis lorrains, qui voisinent depuis toujours sans avoir à se poser ce type de question. La notion moderne de nationalisme n'a pas alors de contenu, d'autres usages déterminent comportements et fidélités. Paris* reste un pôle naturel.

B. De l'Italie aux rivages des Flandres

La Lorraine est alors pays de frontières, donc de passage. La politique matrimoniale de la famille ducale a conduit ses princesses en terre d'Empire ou en Italie, des filles de France ont épousé les héritiers du duché. Les échanges s'effectuent dans tous les domaines, et les artistes accompagnent sur ces routes sans cesse parcourues, princes, dignitaires ou marchands. Le peintre allemand Barthel Braun a épousé à Vic en 1591 la fille du maire ; le Suisse Claude Dogoz y a pris un apprenti avant 1607, quelques mois avant le séjour à Nancy du Flamand Franz II Pourbus, qui y accompagne le duc de Mantoue. Jacques Bellange*, qui a dû séjourner à Cologne à ses débuts, est envoyé en France en 1608 pour y visiter les palais du roi, alors que le jeune Callot s'apprête à quitter la Lorraine pour l'Italie*. Le commerce des œuvres et des gravures, comme celui des artistes, suit des routes connues, de l'Italie aux Pays*-Bas, en passant par la Franche-Comté, possession espagnole. Un grand nombre d'adolescents vicois, qu'ils soient peintres ou non, font le voyage d'Italie, et ce serait une marque supplémentaire de sa singularité que

Hendrick
Ter Brugghen,
Les Joueurs,
1623.
H/t 84 × 114.
Minneapolis,
Institute of Arts.

La Tour ait échappé à une règle aussi générale.

C'est pourtant de Strasbourg que sont mandés Frédéric Brentel et Herman de Loye, pour graver les planches des funérailles de Charles III, et c'est à Henri IV à Paris qu'Alphonse de Rambervillers offre personnellement un manuscrit à peintures de ses *Devots Elancemens du poete chrestien*, avec l'espoir d'en tirer récompense. Du nord au sud l'axe est idéologique, Rome* en est le pôle spirituel d'attraction ; d'ouest en est il est opportuniste et doit se plier aux ambitions politiques du royaume, opposé au monde germanique, gallican, et capable d'alliance avec l'hérésie.

C. Mystique impériale et Église gallicane

Cette première moitié du siècle enflamme ces oppositions. Alors que les règnes de Charles III et d'Henri II ont donné au duché une prospérité et un éclat loués par tous les voyageurs, la crise monétaire qui touche le pays à la fin du règne d'Henri II, les premiers affrontements de la guerre de Trente Ans puis la crise dynastique lorraine le rendent vulnérable. En France, Richelieu entame sa carrière politique et entend garantir ses frontières orientales. Il lui faut donc s'assurer de la neutralité de Charles IV. Sans rien ignorer des grands courants novateurs qui ont fait la richesse du XVIᵉ siècle, mais parce que ses princes ne séparent pas pouvoir temporel et pouvoir spirituel, la Lorraine devient une terre tridentine d'élection, un bastion avancé de la Contre*-Réforme, entièrement soumis aux décisions de Rome. C'est un père du concile, Nicolas Psaume, évêque de Verdun, qui a donné dès 1564 l'une des premières versions imprimées des décrets conciliaires. En France, au nom des libertés de l'Église gallicane, ils avaient été interdits. La guerre de Trente Ans oppose à nouveau un duché dont la mystique chrétienne et la mystique impériale se légitiment mutuellement, et un royaume dont le souverain n'hésite pas à s'allier aux protestants, qu'il combat par ailleurs à l'intérieur de ses frontières.

Le bouleversement des équilibres annoncé dès les premiers engagements de la guerre touche particulièrement la communauté franciscaine, à laquelle la famille ducale est profondément attachée. Sa présence et la multiplication de ses maisons déterminent la qualité de la dévotion lorraine, à la fois simple et affective, mais aussi savante, dans les foyers où séjournent, comme à Vic, des théologiens de renom. Or deux cousins de Georges de La Tour sont entrés en 1617 chez les cordeliers de Vic, couvent important au XVIIᵉ siècle, où le jeune peintre a pu rencontrer Jacques Lafroigne, élu en 1621 à Ségovie membre du conseil entourant le ministre général de l'ordre, ou André de L'Auge, que Rambervillers couchera sur son testament. Claude de La Tour deviendra lui-même en 1635 le premier des cordeliers lorrains. Mais d'autres franciscains accompagnent l'existence du peintre. Les capucins sont à Lunéville ses voisins, et ils seront la seule communauté religieuse à bénéficier d'une donation à sa mort. Les minimes proches du château orneront leur église d'un *Saint Pierre* de La Tour, offert par le duc Henri II. Comme Jacques Callot, Georges de La Tour a entretenu avec les fils de saint François des relations dont témoigne dans son œuvre *L'Extase* de saint François*, composition perdue qu'une gravure et une copie anciennes ont sauvée de l'oubli.

II. Un foyer artistique
A. Une communauté pléthorique

Très nombreux – plus d'une centaine pour la seule ville de Nancy, entre la naissance de La Tour et la chute de la ville en 1633 –, les peintres lorrains constituent une société solidaire, sollicitée en toutes circonstances, qu'il s'agisse de la construction de la Ville-Neuve, de la décoration des édifices religieux, des fêtes de la cour, ou des initiatives et des désirs parfois bien modestes d'une clientèle privée. Leur sensibilité, par affinité géographique et politique, est essentiellement germanique. Frédéric Brentel, Mathieu Merian, Jacob von der Heyden, Wendel Ditterlen sont demandés au tout début du siècle par les cours de Nancy ou de Bar pour réaliser des travaux de peinture, de gravure ou de décoration. L'un des amis fidèles de La Tour, Basile Mus, est originaire de Liège, dans les Pays-Bas méridionaux, et l'on imagine aisément les échanges de tableaux ou d'estampes déterminés par le cosmopolitisme lorrain. Des œuvres étrangères, comme cette *Annonciation* du

École lorraine du XVIIᵉ siècle, *Le Concert*. H/t 130 × 152. Cracovie, château du Wawel.

Caravage*, donnée par le duc Henri II pour l'autel principal de la Primatiale érigée dans la Ville-Neuve, décorent les bâtiments publics ou les demeures privées. Passé le premier apprentissage chez un maître lorrain, les jeunes peintres voyagent. Jean Leclerc*, Claude Deruet*, Jacques Callot, Charles Mellin, Claude Gellée*, pas un de ces grands noms qui n'ait perfectionné outre-monts un apprentissage, après avoir fait des débuts lorrains, dominés par la personnalité complexe de Bellange. C'est après la mort de celui-ci que Deruet, puis Callot et Leclerc, reviendront tenter leur chance dans la capitale lorraine. Mais si le voyage en Italie appartient aux péripéties de la formation artistique, la France fascine la cour ducale. Ses princes ont admiré les palais royaux, où la seconde école de Fontainebleau avait déployé les charmes d'un maniérisme* différent de celui de Prague ou de Munich. Au lieu d'un séjour italien qui n'a laissé de traces ni dans les documents connus, ni vraiment dans l'œuvre, Georges de La Tour aurait tout aussi bien pu se perfectionner à Paris, où habite l'un de ses oncles, où se rendent aussi, pour y accomplir des études, y traiter des affaires ou y remplir les devoirs d'une charge, les étudiants, les habitants ou les élites du bailliage.

B. L'atelier de Lunéville

C'est à Lunéville, dont il sera le seul peintre, que se déroule presque tout entière la carrière de Georges de La Tour. Il obtient d'Henri II des lettres d'exemption qu'il voudra toujours considérer comme un anoblissement de fait. La ville de Diane Le Nerf, qu'il a épousée à Vic en 1617, et dont la nombreuse famille tient une place de choix dans la cité, est l'une des résidences préférées du duc, qui y fait reconstruire le château. Les débouchés du peintre, qui prend aussitôt un apprenti, semblent assurés par la protection ducale comme par la clientèle noble ou bourgeoise sur laquelle nous sommes très peu informés : une commande sans indication de sujet pour le duc, une autre pour l'église des minimes de Lunéville, une *Madeleine* pour Chrétien de Nogent, un *Saint* Sébastien* pour Charles IV, un *Souffleur* « façon de La Tour » dans l'inventaire d'un ami, à Nancy. Aucune mention d'un programme ambitieux, destiné à une église ou une grande demeure, comme ceux réalisés par Jean Leclerc,

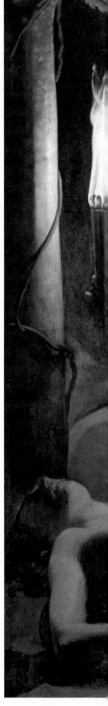

appelé en 1625 par François de Vaudémont à décorer la chapelle de
son château de Viviers, non loin de Vic, ou par Claude Deruet, alors
qu'il travaille au plafond de l'église des carmes à Nancy en 1626, en
compagnie du jeune Claude Gellée. Un grand nombre des compositions du peintre sont de format modeste. Elles ont un mètre environ
dans une de leurs dimensions, ce qui correspond à la largeur des
métiers à tisser lorrains ; mais pour d'autres, plus ambitieuses,
l'adjonction d'une bande supplémentaire, parfois en plusieurs morceaux, a été nécessaire. On aime imaginer Diane supervisant le tis-
sage de la toile ou la bonne exécution de la couture au surjet permet-
tant son agrandissement. On suit le va-et-vient de l'apprenti broyant
les couleurs, ou observant le maître qui enduit le lin ou le chanvre
tendu sur son support, tantôt avec des préparations crayeuses, pour
les sujets diurnes, tantôt avec des préparations plus complexes et plus
terreuses, pour les sujets en nuit. Puis il prépare les objets, quelques
pierres, un livre, un luminaire, que le peintre disposera en fonction
d'un dessein déterminé par lui seul. Diane et ses enfants ont-ils posé
dans l'atelier, ont-ils porté pour le peintre leurs bijoux familiers,
leurs blouses brodées, telle écharpe précieuse ? Quel visage parmi les
nombreuses figures de l'œuvre reconnaître comme un portrait, celui
de Georges ou d'Étienne*, ou celui de Claude, prêtant peut-être au
personnage d'Irène, dans *Saint Sébastien*, ses traits délicats et sa robe
si contemporaine ? Ou bien, lorsqu'un sujet est répété, le peintre uti-
lise-t-il un sytème de report, qui lui permet de reproduire les formes
attendues, moyennant quelque léger décalage ? Tant d'intimité sug-
gérée ne produit en fin de compte sur la toile que l'abstraction de la
forme et du sentiment, l'« Idée » chère aux théoriciens de la Renais-
sance comme à Nicolas Poussin. Mais une « Idée » dont le champ
d'application serait le monde intérieur, non la réalité et ses jeux infi-
nis. L'œuvre de La Tour prend racine dans cette réalité mais ne se
réalise qu'en effaçant sur la toile toute anecdote, toute confidence.

C. Paris : la mesure d'une gloire

La production de l'atelier a dû être importante et la renommée de La
Tour tôt établie. La clientèle locale apprécie suffisamment l'œuvre
pour en demander des copies, pour qu'une « façon La Tour » dis-
tingue ses compositions d'une autre production, qui traite les mêmes
sujets, « façon Flandres » par exemple. Georges de La Tour répond
alors à un succès dont il a pu faire un commerce, multipliant, peut-
être avec l'aide de son fils Étienne, à partir de 1645, les *Souffleurs* ou
les *Fumeurs*, toiles de petit format, convenables aux intérieurs bour-

Saint Jérôme pénitent. H/t 157 × 100. Grenoble, musée des Beaux-Arts.

geois. Mais d'autres thèmes, plus ambitieux, *Madeleine* ou *Saint* Jérôme pénitent, Saint Sébastien à la torche* ou *Le Reniement* de saint Pierre*, sont repris par le peintre qui les renouvelle, parfois à dix années de distance, ou qui les reproduit avec d'infimes variantes. Il s'agit de satisfaire des amateurs avertis, ceux que les guerres rapprochent de plus en plus de Lunéville, à partir des années 1630, et qui posséderont, après leurs homologues lorrains, des toiles du peintre. Louis XIII et Richelieu sont en Lorraine dès la fin de 1631, le roi est à nouveau à Vic et à Marsal en janvier 1632, à Lunéville réside en 1633 le maréchal de Sourdis, et en 1635 de Thou et Fontenay-Mareuil : ces grands courtisans sont aussi des collectionneurs*, leurs éloges et leurs choix sont écoutés et suivis, la voie de Paris, qui avait sans doute toujours été parcourue, s'ouvre d'une manière officielle. Le titre de peintre du roi, le voyage en France et le logement à la galerie du Louvre déplacent sur la scène parisienne les intérêts du peintre. Un facteur est chargé des relations avec une clientèle dont quelques noms, ceux de Bullion, de Bretagne, de Louvois, de Le Nôtre signent une gloire. Mais La Tour ne semble pas pouvoir ou vouloir l'exploiter. Est-ce l'aveu intime d'une limite, celle d'une inspiration à ce point dirigée qu'elle enferme désormais le peintre dans la loi de ses refus, en ces années 1640 où Poussin, né d'une autre lumière, séjourne lui aussi à Paris, où la clientèle est sensible à sa manière claire et à la variété si charnelle, si vivante de son inspiration ? À Nancy, où le peintre retrouve sa famille, une renommée le suit, un titre surtout, qui lui vaut la protection du nouveau gouverneur français de la ville, le marquis de La Ferté, pour lequel il n'aborde guère de sujets inédits.

La Rixe
des musiciens
(détail),
1625-1630.
Malibu,
J. Paul Getty
Museum.

III. La Tour : la quête du sens
A. La « brouette des maudits »

Depuis son installation à Lunéville, en 1620, la vie et le travail de Georges de La Tour sont placés sous le signe des grandes et des petites misères de la vie et de la guerre, annoncée dès 1618 par la bataille de la Montagne blanche. Même dans les sujets profanes, l'inspiration est grave. La *Vieille Femme* est plantée devant nous les mains sur les hanches, maîtresse femme qui en sait long et que l'on ne saurait surprendre, *Les Mangeurs* de pois* gardent de la dignité dans leur misère, les *Apôtres* sont de solides figures d'hommes rompus aux luttes, celles du corps et de l'esprit, les *Vielleurs*, pauvres errants aveugles, aux instruments parfois raffinés et délicatement enrubannés, chantent pourtant des rêves inaccessibles. *La Rixe des musiciens* oppose misère à misère, pour un enjeu incertain, sous l'œil hébété ou hilare de quelques témoins. Avec *La Diseuse* de bonne aventure* et le *Tricheur*, le peintre porte à un paroxysme l'opposition entre candeur et astuce, jeunesse et vieillesse, beauté et laideur, croisant des thèmes traditionnels dans la peinture caravagesque et dans la littérature espagnole, où joueurs* de cartes, bohémiennes rouées, courtisanes, enfants prodigues éprouvent dans d'obscures tavernes leurs désirs troubles. Personnages en pied ou en buste, ils sont représentés avec un pinceau minutieux attentif au détail réaliste, prenant plaisir à faire chatoyer une étoffe, à décrire une broderie, à rendre l'éclat d'un bijou ou d'un regard. « C'est le jour, dit-on. Georges de La Tour sait que la brouette des maudits est partout en chemin avec son rusé contenu. [...] C'est le jour, l'exemplaire fontainier de nos maux », écrira René Char à propos de ces toiles. L'interprétation est ici bien en amont de toute morale.

B. Deux lumières, une foi

Dans le même texte (*Justesse de Georges de La Tour*), Char fait la distinction entre lumière* du jour, à usage d'inventaire, et flamme de la bougie*, dont l'« éclair nourri » est le lieu de l'inspiration et la grâce du poète. En Lorraine, dès 1619-1624, c'est justement un poète aveugle, Pierre Humbert, et un cordelier, André de L'Auge, qui développent dans leurs vers ou leurs sermons une pensée de la lumière et de la nuit. Elle est nourrie par la lecture des grands emblémistes, bien connus des peintres lorrains, et par une culture mystique toujours vivante dans les pays rhéno-flamands et en Espagne. En Lorraine, l'ermite Pierre Seguin traduira les grands textes de l'École espagnole, ceux de l'École française seront transmis par les oratoriens, dont Pierre de Bérulle visitera en 1622 à Nancy le couvent, fondé seulement quelques années plus tôt.

L'Adoration des bergers (détail), v. 1645. H/t 107 × 137. Paris, musée du Louvre.

Ces textes, largement diffusés dans les milieux cultivés, laïques ou religieux, n'ont sans doute pas été étrangers à Georges de La Tour, qui partage avec leurs auteurs des thèmes, des images, des couleurs. Dans ses *Ténèbres*, Humbert trouve son inspiration dans le cycle de la Passion et décrit la « nuit infortunée » de saint Pierre, dédiée à Marguerite de Gonzague, l'année même où Henri II achète à La Tour « un Tableau à l'image st Pierre ». En 1627 *L'Élévation sur sainte Madeleine* de Bérulle représentera non la pénitente, mais la contemplative, fixant le miroir* où se reflète la lumière. Le père de L'Auge avait, lui, comparé l'espérance des saints martyrs à

Double page
précédente :
*La Diseuse
de bonne
aventure*
(détails).
New York,
Metropolitan
Museum
of Art.

cette « lumière claire brune qui les rend certains de leur immortalité future ». Autant de détails tirés d'un ensemble complexe, magistralement décrit par P. Choné dans son étude de la pensée symbolique en Lorraine, et dans lequel les images de La Tour prennent leur source.

Leur commande et leur réception peuvent donc aussi bien convenir à une élite, bien au fait des subtilités iconographiques et théologiques auxquelles s'intéressent les classes cultivées lorraines, allemandes, espagnoles et françaises, qu'à une population plus humble sur le plan intellectuel, plus sensible sur le plan affectif. La Lorraine a d'ailleurs toujours privilégié cette dimension affective de la piété, dans ce pays de tradition rurale, où les pèlerinages – celui du bienheureux Bernard de Bade à Vic, si comparable par son destin à saint* Alexis – déplaçaient encore les foules. À ces foules conviennent les cultes d'intercession, qui s'adressent de préférence à Marie, à Madeleine, ainsi qu'aux saints : saint Joseph ou saint Pierre, l'apôtre le plus présent dans l'univers de La Tour, saint Alexis ou saint Sébastien, invoqué contre les épidémies de peste, saint Jérôme enfin, grande et violente intelligence, traducteur des livres saints. Tous sont susceptibles de contribuer au seul vrai miracle : la conversion, ce mouvement de l'être qui lui permet d'identifier un absolu et de le reconnaître, redoutable liberté, comme seule mesure de toute réalité.

C. Le silence et l'immobilité

Nous ne savons rien de la piété de Georges de La Tour, mais nous n'avons aucune raison d'en douter. Des influences multiples, picturales, religieuses, intellectuelles ont pu jouer sur son œuvre, sans la réduire à aucune. Qu'elles soient diurnes ou nocturnes, ses toiles procèdent d'une même économie de moyens : un décor presque vide, ponctué de quelques pierres mal équarries, un bloc rudimentaire, souvent masqué, sur lequel sont assis les vielleurs, Madeleine, ou l'Enfant Jésus ; une table oblongue, entourée de figures à mi-corps, dans le *Tricheur* comme dans *Le Reniement de saint Pierre* ; quelques rares accessoires signifiants, un livre, une lettre dépliée, une tête de mort, un miroir ; le vide, en général, le silence, et cette immobilité étrange qui suspend le temps, et fait passer au-delà, dans une autre écoute, une autre mesure. L'action est le fait de la lumière plus que des personnages : scalpel aigu des regards dans les œuvres diurnes, flamme qui brûle dans les nocturnes à hauteur et au rythme de la pensée.

Il est peu vraisemblable que la peinture de Georges de La Tour témoigne des différentes étapes d'une ascèse qui l'aurait conduit des vanités du monde réel à cette nuit de l'âme où la vraie conversion

Le Vielleur au ruban. H/t 84 × 61. Madrid, Museo del Prado.

trouve sa source et sa fin. Déterminer la chronologie* de l'œuvre en fonction d'une quête aussi linéaire, aussi progressive du sens, serait confondre la vie et l'œuvre, ce dont la biographie du peintre dissuade immédiatement. La quête du sens artistique ne suit-elle pas d'autres chemins ? La critique n'a d'ailleurs pas toujours scindé en deux mondes séparés et successifs l'œuvre diurne et l'œuvre nocturne de Georges de La Tour, son réalisme et sa capacité de stylisation, ou d'abstraction, qu'une même toile, une même figure peut contenir. La maîtrise n'est-elle pas d'abord la virtuosité atteinte dans le jeu des possibles, à partir d'un thème choisi ? Le sens naît de cette perfection, comme en surplus. C'est le privilège de l'art, miroir qui sait comment capter les formes pour faire d'un vide un plein, d'un néant, la présence.

Anne REINBOLD

■ ADMIRATION
Une gloire nationale ?

Depuis les années 1950, marchands internationaux, grands musées américains, collectionneurs japonais et images publicitaires ont fait de La Tour le peintre français du XVIIe siècle le plus connu au monde. En France, l'artiste lorrain est l'objet d'une admiration nationale. Dès sa redécouverte*, Charles Sterling s'intéressa à ce peintre né à Vic*-sur-Seille, en Lorraine*, et dont aucun lien avec Paris* n'était alors connu : il n'hésita pas à l'associer aux grands exemples de la peinture française, comme les Le Nain, mais aussi de sa tradition classique. En 1939 La Tour illustre, avec *Le Nouveau*-Né* de Rennes, la peinture française du XVIIe siècle dans les manuels scolaires, aux côtés de Poussin et de Le Brun. Le peintre des « nuits* » est en outre cher au cœur des écrivains français : Malraux s'arrange pour le mentionner dans *L'Espoir* ; René Char, avant de vénérer chastement *La Madeleine* à la veilleuse* en 1947, avait accroché l'image de Job*, connue sous le titre *Le Prisonnier*, dans son P.C. de résistant : « [Elle] semble, avec le temps, réfléchir son sens dans notre condition. Elle serre le cœur mais combien désaltère… Reconnaissance à Georges de La Tour qui maîtrisa les ténèbres hitlériennes avec un dialogue d'êtres humains. »

Job et sa femme (détail). Épinal, musée départemental des Vosges.

Ces œuvres font partie du patrimoine de la nation : l'exportation aux États-Unis de *La Diseuse* de bonne aventure* suscita une interpellation à la Chambre ; pour éviter l'exil du *Saint* Thomas*, le Louvre lança, en 1988, la première souscription nationale (la seule à ce jour lancée par un musée d'État). Le tableau, une fois acheté, effectua un triomphal tour de France avant d'être exposé dans « le plus grand musée du monde ». OB

Le Nouveau-Né (détail), 1645-1648. Rennes, musée des Beaux-Arts.

L'Adoration des bergers, v. 1645.
H/t 107 × 137.
Paris, musée
du Louvre.

Hendrick Goltzius,
*L'Adoration
des bergers*, 1617.
Burin inachevé.
Coll. part.

■ **Adoration des bergers (L')**

De la composition d'origine n'est conservée qu'une image tronquée : la partie haute agrandie vers le haut fausse l'idée du cadrage originel, serré au ras des têtes ; la partie basse elle aussi semble avoir été mutilée ainsi que la partie droite, comme permet de le restituer une copie ancienne, de mauvaise qualité, conservée à Albi, qui représente les personnages en pied. Toutefois, les analyses de laboratoire* n'ayant révélé aucune intervention, il est possible qu'il s'agisse simplement d'une version différente.

La Tour s'inscrit ici dans une tradition très féconde du XVIᵉ siècle (Corrège, Bassano),

robe rouge, Joseph porte la lumière* de vérité sous la forme d'une bougie qu'il voile de sa main. Ni âne ni bœuf ; seul un mouton mange une brindille de paille échappée de la litière faisant office de lit pour l'enfant emmailloté. Les personnages expriment leur joie avec réserve : ainsi la bergère qui apporte pour offrande une terrine de terre rustique, ou le berger qui s'apprête à esquisser un salut pour accueillir la naissance de Jésus. Joseph évoque un type physique familier de La Tour, celui du vieil homme de *L'Ange* apparaissant à saint Joseph*, ce qui autorise une datation vers 1645. Or, on sait que Lunéville* offrit en 1644 au gouverneur de la ville, le maréchal de La Ferté, une Nativité qui pourrait correspondre à cette *Adoration des bergers*. BS

reprise au XVIIe par les peintres caravagesques*, qui consiste à transformer l'Adoration des bergers en nocturne éclairé par une bougie*. Mais il traduit l'événement divin avec une concentration recueillie : les bergers, en vêtements contemporains, entourent l'enfant endormi ; aux côtés de la Vierge, resplendissante dans sa

« C'est de l'enfant, c'est de l'innocence, que vient presque toute lumière, qu'il s'agisse du nouveau-né de L'Adoration des bergers *ou de celui de la* Nativité, *de l'ange dans* Le Songe de saint Joseph *ou du page dans* L'Image saint Alexis. *Toute lumière chez La Tour désigne et déclare ; elle est à la fois symbole et révélation. »*

Marcel Arland, *Georges de La Tour*, 1953.

■ ANGE

Tout comme *Le Vielleur** au chapeau et *Le Reniement** de saint Pierre*, ce tableau fait partie de la collection du diplomate et amateur d'art François Cacault, collection que la ville de Nantes acheta en 1810. Il est l'un des points de départ dans la redécouverte* du peintre en 1915 par l'Allemand Hermann Voss. Son sujet a suscité plusieurs hypothèses : Samuel apparaissant à Élie (mais pourquoi un aveugle tiendrait-il un livre sur ses genoux ?) ; saint Matthieu et l'ange (habituellement, ce dernier est représenté en train de dicter au saint le texte de l'Évangile) ; ou saint Pierre libéré par l'ange (mais aucun détail n'évoque l'intérieur d'une prison). L'ange apparaissant à saint Joseph semble davantage correspondre au goût de La Tour pour ceux qui ont partagé la vie du Christ, tels les apôtres* ou Madeleine*. De plus, le culte dévolu à saint Joseph se développe au XVIIᵉ siècle sous l'impulsion de sainte Thérèse d'Avila. Saint Joseph, représenté vieux, conformément à la tradition, reçoit l'appel divin sous la forme d'un songe alors qu'il recherchait dans les Écritures une réponse à ses tourments. De quel songe s'agit-il ? Celui qui relate l'apparition de l'ange Gabriel au moment de la grossesse de Marie, celui qui précède la fuite en Égypte pour échapper à Hérode, ou celui qui lui annonce le retour prochain en Israël ? L'artiste se concentre sur l'essentiel : la transcription du mystère de l'élection divine. Point ne lui est besoin d'anges ou de nuées, de saint auréolé ou d'ange doté d'ailes ; lui suffit un lieu vide, plongé dans la pénombre rompue par l'éclairage subtil d'une bougie*, cachée par le bras de l'ange. Cette lumière* voilée qui sculpte différemment les formes et joue d'effets de clair-obscur suggère à elle seule le fait divin. Elle met l'accent sur le visage de l'ange, dessine les contours de sa main qui exécute un geste d'appel et fait resplendir les broderies de sa ceinture ; dans le même temps, elle noie Joseph dans une semi-pénombre uniforme d'où se détache la ceinture rouge. Ce tableau, signé, se situe entre 1640 et 1645, après le *Saint* Joseph charpentier* dont il est très proche et pour lequel le même enfant sert de modèle à l'ange. BS

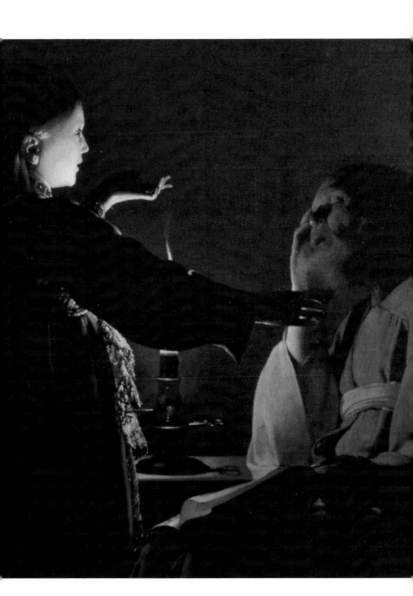

L'Ange apparaissant à saint Joseph

1640-1645. H/t 93 × 81
Nantes, musée des Beaux-Arts.

■ Apôtres d'Albi

Les douze apôtres et le Christ tiennent une place originale dans l'œuvre de La Tour. Il s'agit des seuls tableaux de l'artiste qui forment un ensemble véritable, à l'instar des séries espagnoles du Greco ou de Zurbarán, ou des gravures de Lallemant* ou de Callot*. Ces témoins de la vie du Christ, intercesseurs privilégiés auprès de Dieu, sont représentés comme des paysans, habillés de vêtements contemporains ; leurs traits ne sont pas épargnés par le labeur (rides creusées, cheveux clairsemés, soulignés par des coups de pinceau incisifs) ; leurs mains noueuses et leurs ongles sales témoignent de leur humble condition. Le réalisme de La Tour s'inscrit dans la mouvance du caravagisme* : la retenue tout intériorisée des apôtres suggère l'ardeur religieuse.

L'historique de ces œuvres – chose rare chez La Tour – peut être retracé : peintes vraisemblablement en Lorraine* – au retour d'Italie* ? –, elles sont passées entre les mains du collectionneur* parisien l'abbé de Camps dans les années 1690 ; entre 1698 et 1795, elles sont exposées dans la chapelle Saint-Jean de la cathédrale d'Albi. Au XIXᵉ siècle, lorsque la série se retrouve au musée, elle ne comporte plus que deux originaux, *Saint Jacques le Mineur* et *Saint Jude Thaddée*, et neuf copies. La découverte en 1991 d'un *Saint Thomas* et d'un *Saint Barthélemy*, très usés, permet d'espérer la résurgence d'autres peintures qui viendraient compléter les cinq originaux connus à ce jour. La série reste donc une énigme à plus d'un titre : pourquoi les originaux ont-ils été remplacés par des copies ? Pourquoi Albi, si éloigné de la Lorraine ? BS

Pages
précédentes :
Saint Philippe.
H/t 63 × 52.
Norfolk, Chrysler
Museum.

Saint Thomas.
H/t 65 × 54.
Coll. part.

Saint André.
H/t 60,5 × 47,5.
Coll. part.

*Saint Jacques
le Mineur.*
H/t 66 × 54.
Albi, musée
Toulouse-Lautrec.

Saint Jude Thaddée.
H/t 62 × 51.
Albi, musée
Toulouse-Lautrec.

■ ART RELIGIEUX : LE CHRIST AU CŒUR

Le concile de Trente (1545-1563) avait réaffirmé le rôle des images comme « Bible des pauvres », ce qui exigeait une simplification didactique. Mais pour la spiritualité de la Contre*-Réforme, d'Ignace de Loloya au cardinal de Bérulle, le tableau est aussi le support de la méditation : l'image, dès lors, peut contenir des figures ou des sens cachés que les états de l'oraison découvrent peu à peu.

En raison du dogme de la présence réelle du Christ dans l'Eucharistie, l'iconographie de la Contre-Réforme insiste sur la figure de Jésus, soit directement dans des épisodes de l'Évangile relatant sa vie terrestre (l'Adoration* des bergers, le Reniement* de saint Pierre), soit indirectement à travers des figures chrétiennes emblématiques. La vie de saint* Alexis, par exemple, en même temps qu'elle illustre une mort « parfaite », signifie l'existence cachée du Sauveur. De même, Job* raillé par sa femme incarne l'état de patience et d'acceptation.

Cette nouvelle iconographie met également en valeur les saints, médiateurs entre les fidèles et Dieu. Saint* Sébastien protège des épidémies, et particulièrement de la peste, un des fléaux qui ravagent alors la Lorraine*. Pour les grandes âmes dont la ferveur religieuse est due à une conversion tardive après une jeunesse mondaine, la figure de sainte Madeleine*, qui associe au thème de la pénitence celui de la quiétude mystique, est plus qu'un exemple, c'est un modèle.

Mais les intercesseurs les plus populaires sont ceux qui, avec le Christ, forment cette trinité terrestre qu'est la Sainte Famille. La religion catholique, en réaction au protestantisme, souligne la sacralité de la Vierge, dont la vie est bien souvent représentée. Saint* Joseph devient alors la figure accomplie du père de famille en même temps que le modèle du bon artisan. Au-delà de la simple représentation d'un sujet, de nombreux symboles, du crâne à la chandelle*, permettent au fidèle de progresser par sa lecture de l'image dans son chemin vers Dieu. OB

La Madeleine pénitente.
H/t 118 × 90.
Los Angeles, County Museum of Art.

La Madeleine au miroir,
dite *Madeleine Fabius*, v. 1635.
H/t 113 × 93.
Washington, National Gallery.

Jacques Bellange,
L'Annonciation
(détail), v. 1610.
Eau-forte.
Paris,
Bibliothèque
nationale
de France.

Bellange (Jacques)

Dans la *Lamentation sur le Christ mort* attribuée à Bellange (v. 1575-1616), la puissance de l'effet de nuit désigne spontanément l'invention comme une source possible de l'inspiration nocturne de Georges de La Tour. La comparaison du tableau du musée de l'Ermitage avec *Le Paiement* des taxes* (Lviv), ou avec le *Saint* Sébastien soigné par Irène* (Rouen), a pu renforcer ce sentiment, et l'hypothèse d'une formation du jeune Vicois chez le plus brillant des peintres de Nancy* semble crédible. Non sans arguments. Car les occasions de contact n'ont pas manqué entre Bellange et le cercle des La Tour, par l'intermédiaire de notables vicois comme le cardinal de Lorraine*, évêque de Metz, ou Alphonse de Rambervillers et son ami Adrien Poynet, voisin de Bellange à Nancy à partir de 1612, ou le jeune peintre Jean Blayer de Bariscord, venu prendre femme à Vic*-sur-Seille en 1600.

Peintre des princes lorrains depuis 1602, Bellange participe au palais ducal à des travaux de restauration ou de décoration : galerie des Cerfs en 1606, galerie Neuve en 1610, ouvrages dont les programmes rappellent la décoration des maisons royales françaises, qu'il avait visitées en 1608 à la demande du duc* Charles III. Il n'y a pas d'équivalent de ces ouvrages dans l'œuvre de La Tour. Seuls les tableaux ou les estampes destinés à la clientèle privée de Bellange établissent, par leurs sujets, un lien entre les deux peintres : représentations de Marie-Madeleine et de saint François, ou *Mendiant à la vielle* et *Rixe entre un mendiant et un pèlerin.* Une appréciation documentée de l'influence des peintres néerlandais et allemands lors d'un hypothétique voyage de Bellange à Cologne et aux Pays*-Bas, entre 1595 et 1602, permettrait de mieux établir comment, au-delà du maniérisme* parfois exacerbé des rares peintures connues, des très nombreux dessins et des gravures de Bellange, a pu naître la rigueur méditée des œuvres de La Tour. AR

Jacques Bellange,
*Lamentation
sur le Christ mort.*
H/t 116 × 173.
Saint-Pétersbourg,
musée
de l'Ermitage.

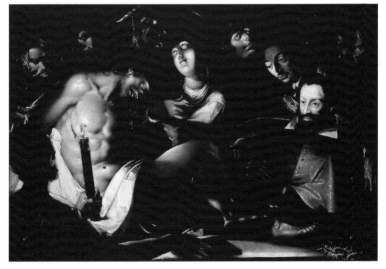

■ BOUGIES ET LANTERNES
La lumière pense, la lumière révèle

La Femme à la puce (détail). Nancy, Musée historique lorrain.

La Tour n'est pas un peintre qui « distrait » le regard, au sens pascalien de ce terme. Les rares objets soigneusement disposés dans ses œuvres relèvent d'une nécessité de la composition et du sens. En particulier les luminaires, chandelles, lampes, lanternes, torches, flambeaux ou braseros, objets du quotidien ou de l'exception. Ils produisent une qualité de lumière* dont notre époque a perdu jusqu'à l'imagination, et qui ne peut se définir sans l'ombre, si propice à la dramatisation des nocturnes. Leur richesse sémantique est détaillée dans les ouvrages des grands emblémistes, Valeriano, Ripa ou Picinelli, présents dans les bibliothèques de Lorraine*, et dont, par exemple, la *Lux claustri* de Callot* avait fait son profit.

Ainsi, la chandelle n'est pas symboliquement le même objet et ne produit pas les mêmes effets selon qu'elle est tenue à la main, manifestation de la lumière divine réfléchie par le visage de l'enfant dans *Le Nouveau-Né**, dans un esprit de douceur qui convient ici à sainte Anne, et à saint Joseph dans *L'Adoration* des bergers* ; ou posée sur un support, dans *La Femme* à la puce*, et presque entièrement consumée, comme une image de servitude ; ou encore masquée par un parchemin, dans *Saint* Jérôme lisant* (Nancy), parce que la lecture de l'initié peut seule rendre accessible une Écriture indéchiffrable sans la médiation du saint. De même, la lanterne des *Larmes* de saint Pierre*, à la lumière occultée, le brasero du *Reniement* de saint Pierre*, à la chaleur duquel l'apôtre ne parvient plus à se réchauffer, ou la déférente torche inclinée de *La Découverte* du corps de saint Alexis*, sont autant d'ustensiles tirés de la réalité la plus quotidienne, à partir desquels s'exercent les variations d'une pensée de la lumière.

La Découverte du corps de saint Alexis (détail). Nancy, Musée historique lorrain.

Mais flammes et luminaires ne se comprennent que comme les éléments d'une syntaxe picturale dont l'image dans sa totalité donne le chiffre. Elles appartiennent autant au fonds commun d'une spiritualité affective et populaire qu'à une religiosité plus savante, élaborée à partir de 1620 par les prédicateurs et les poètes lorrains. AR

Icy par un effort sacrilege et barbare   Pillent,et bruslent tout,abattent les Autels :   Et tirent des sancts lieux les Vierges desolees
Ces Demons enragez,et d'une humeur mare   Se mocquent du respect qu'on doit aux Immortels.   Quels gens enlever pour estre's violees   6

Callot (Jacques)

Comme La Tour, Jacques Callot (1592-1635), peut-être initié au dessin par Bellange*, a été le témoin précis et personnel des êtres, puissants ou misérables, qui croisèrent ses routes. À Florence où, à partir de 1612, il construisit à la cour des Médicis son exceptionnelle réputation, puis à Nancy* où il s'établit en 1621, ses gravures sont peuplées de gueux et bohémiens, paysans et soldats, nobles et bourgeois, joueurs* et comédiens. Aux scènes de « l'humaine comédie », dont ses multiples voyages aux Pays*-Bas, en France, le rendent témoin privilégié, il sait donner des accents moraux, lorsqu'il conte par exemple la *Vie de l'enfant prodigue*.

Callot fit sienne la réforme religieuse élaborée par le concile* de Trente, soutenue en Lorraine* par les jésuites et par les franciscains (dont il était très proche, comme en témoigne son inhu-

mation en l'église des Cordeliers à Nancy). Il illustre dans cet esprit les textes de ses amis lorrains : Alphonse de Rambervillers (*Les Devots Elancemens du poete chrestien*, ill. p. 46), le cordelier Étienne Didelot (*Le Triomphe de la Vierge*), le cordelier André de L'Auge, dont *La Sainte Apocatastase* réunit en 1624 les sermons prêchés devant Henri II, et que La Tour semblait connaître. Mais les gravures de Callot diffusent aussi plus simplement le culte des saints, à travers leur martyre (*Martyre de saint Sébastien*).

Enfermer dans l'espace minuscule de la gravure l'infini humain, sans rien perdre de ses mouvements et de sa lumière, correspondait bien aux recherches de l'art européen du XVIIᵉ siècle. À l'inverse, La Tour saura enfermer l'espace dans une figure, et y développer par le travail de la lumière* le mouvement infini de la pensée. AR

Jacques Callot, *Les Grandes Misères de la guerre : la dévastation d'un monastère*, 1633. Eau-forte. Paris, Bibliothèque nationale de France.

Jacques Callot, *Combat à la barrière : char de M. de Couronge*. Lavis brun. Paris, musée du Louvre.

■ Caravage et les caravagesques

Dans la Rome de Galilée, l'art du Caravage (1573-1610) suscite rapidement de nombreux échos. La force dramatique du clair-obscur, sa puissance rhétorique séduisent et les clercs pour leurs tableaux d'autel et les collectionneurs pour leurs galeries privées. Aux artifices du maniérisme*, le Caravage substitue une expression sobre et réaliste. Dans les années 1610, Manfredi réduit son influence à une formule : des personnages coupés à mi-corps, disposés de manière symétrique autour d'une table, avec un fort contraste lumineux qui met en valeur les formes pleines ; les toiles représentent des sujets sacrés ou des scènes de la vie quotidienne (réunion de buveurs et de joueurs*, diseuses* de bonne aventure…).

Ce jeu des contrastes de lumières* sur des formes naturelles, et les nouvelles possibilités d'expression qu'il offre, enthousiasment plus d'un peintre. Les séjours à Rome* de nombreux artistes d'Europe* expliquent le rapide succès international de cette peinture.

Caravage,
*La Diseuse
de bonne aventure*,
1596-1597.
H/t 99 × 131.
Paris,
musée du Louvre.

Les nordiques y exaltent, derrière une immédiateté picaresque, une merveilleuse poésie sublunaire construite sur une peinture de valeurs (*Saint Sébastien soigné par sainte Irène*, de Ter Brugghen). Valentin profite de cette suspension des gestes dans l'ombre noire et silencieuse pour interroger la solitude des êtres. Orazio Gentileschi et Carlo Saraceni, le maître de Leclerc*, après avoir sacrifié au réel, proposent une version adoucie de cette peinture. L'art du Caravage a en fait peu à voir avec le mouvement caravagesque. Le personnage ne se laisse enfermer ni dans un courant ni dans une doctrine. Sa recherche fiévreuse sur la place de l'homme dans l'univers l'amène à peindre des tranches de vie, des épisodes dramatiques de la vie des saints, puis des hommes méditant sur leur foi. Le clair-obscur, de spot théâtral, devient une interrogation sur la conscience et le rapport de l'homme à Dieu. Si La Tour ne rencontre le Caravage que dans ses derniers tableaux, le *Saint* Sébastien* du Louvre par exemple, il a parfaitement pu adopter la peinture caravagesque dès ses premières toiles. OB

À droite :
*Le Cardinal
de Richelieu,*
gravure de
Jean Frosne.

Le Roi Louis XIII,
gravure
de Jean Frosne.

*Le Surintendant
des finances
Claude de Bullion,*
gravure anonyme.

D'après Georges
de La Tour,
*Saint François
méditant.*
Gravure.
Paris,
Bibliothèque
nationale
de France.

■ Chronologie

La difficulté à établir le catalogue des œuvres de La Tour tient à l'histoire de la redécouverte du peintre lorrain : des nocturnes d'abord, images si contraignantes qu'elles semblèrent longtemps exclure les sujets diurnes. Cet *a priori* ne fut pas sans conséquence pour l'établissement du catalogue, d'abord réparti en deux périodes successives : celle des compositions diurnes, ou sans éclairage artificiel visible ; et les « nuits* », avec éclairage artificiel, bougie*, flambeau, veilleuse ou brasero. Une telle succession était justifiée non seulement par des raisons stylistiques, mais aussi par l'évolution personnelle supposée du peintre, à une époque particulièrement troublée de l'histoire de la Lorraine*. Elle souhaitait décrire une ascèse.

Cette évolution n'est pas confortée par les sources historiques. À partir de 1633, les inventaires lorrains mentionnent des « nuits », dont la description correspond aux compositions de La Tour. À cette date, Louis XIII assiège et prend Nancy*. La Tour est âgé de 40 ans, il entre dans la pleine maturité, et maîtrise son art. Il peut offrir simultanément un *Saint* Jérôme* à Richelieu, un *Saint* Sébastien* au roi. Et la collection de Jean-Baptiste de Bretagne, présent en Lorraine autour de 1640, comportera indifféremment des *Diseuses* de bonne aventure*, et *Deux capucins*, représentés « au clere de la chandelle ».

Les études de laboratoire* récentes confirment le chevauchement des deux types d'inspiration, et montrent pourquoi *Le Paiement* des taxes*, un nocturne très précoce, peut être situé tôt dans le catalogue, avant *Le Tricheur* à l'as de carreau*, un des plus beaux diurnes. Leur argumentation strictement technique oblige à une reconsidération de la chronologie des œuvres, prise en compte dans le catalogue de leur toute récente exposition, à Washington et à Fort Worth. AR

COLLECTIONNEURS
Le roi, les ducs et les autres

Dès son installation à Lunéville* en 1620, des lettres de franchise assurent à La Tour la protection ducale. Henri II achètera deux toiles, dont une « Image saint Pierre », peut-être proche du *Saint Pierre* signalé dans la collection de l'archiduc Léopold-Guillaume et gravé par Prenner. Charles IV possède un *Saint* Sébastien, encore visible en 1751 au château d'Houdemont. Les amateurs connus d'œuvres de La Tour sont le plus souvent, en Lorraine*, les proches et les alliés du peintre, comme Alphonse de Rambervillers ou Chrétien de Nogent.

À partir de 1631, la guerre conduit dans les environs de Lunéville les personnalités qui ont permis à La Tour de se tourner vers Paris*. Le maréchal de Sourdis, ce fin lettré, grand collectionneur et conseiller artistique de Richelieu, occupe la ville en 1633. C'est autour de cette date que La Tour, semble-t-il, offre au cardinal un *Saint* Jérôme, peut-être la version au chapeau, pour gagner sa faveur et approcher le roi. Il présente à Louis XIII un *Saint Sébastien dans une nuit*, « d'un goût si parfait que le Roi fit ôter de sa chambre tous les autres Tableaux pour n'y laisser que celui-là » (Dom Calmet). Est-ce ce présent qui lui vaut son brevet de peintre du roi ? D'autres officiers du royaume ont précédé ou suivi le monarque dans son admiration : Claude de Bullion, surintendant des Finances (*Le Reniement* de saint Pierre*), Jean-Baptiste de Bretagne, curieux et collectionneur parisien, présent en 1642 au siège de Dieuze (une *Nourrice avec un enfant*, un *Religieux endormi*, des *Diseuses* de bonne aventure, des *Flûteurs jouant à la chandelle*, *Deux Capucins en méditation au clair de la chandelle*). Le marquis de La Ferté, gouverneur de Nancy*, se verra offrir presque annuellement, à partir de 1644 et jusqu'à la mort du peintre, une composition de La Tour (*Nativité*, *Saint Alexis*, *Saint Sébastien*, *Le Reniement de saint Pierre*). Mais d'autres amateurs, Simon Cornu, Le Nôtre, Louvois, plus tard l'abbé de Camps, témoignent de la notoriété parisienne du peintre de Lunéville. AR

■ Concile de Trente.

Voir Contre-Réforme

■ Contre-Réforme

Pour combattre le protestantisme, l'Église catholique réagit. Le concile de Trente (1545-1563) réaffirme les principes de la foi et définit de nouvelles

Les Devots Elancemens du poete chrestien. La desplaisance du pecheur contrit. Manuscrit rédigé et enluminé par Alphonse de Rambervillers et offert au roi Henri IV en 1600. Paris, Bibliothèque nationale de France.

conditions de la vie chrétienne, où l'on insiste sur le culte des saints et le rôle des images. Après une période de réforme interne de l'Église catholique, qui voit le développement d'ordres religieux réformés (les capucins) ou nouveaux (les jésuites), Rome passe à la contre-offensive au XVIIᵉ siècle. À l'exception des Trois-Évêchés, le protestantisme n'a guère touché la Lorraine*, « terre de seigneurs, de moines et de paysans » (R. Taveneaux). La région fait partie de cette dorsale catholique lotharingienne qui, de Milan à Louvain, sert de point d'appui pour une reconquête catholique. Le duché applique aussitôt les décrets du concile ; une université, dirigée par les jésuites, est fondée à Pont-à-Mousson en 1572, tandis que saint Pierre Fourier, curé du petit village de Mattaincourt, privilégie une pastorale au niveau des humbles.

À Nancy*, le couvent des cordeliers, où Charles III décide d'ériger une nécropole, est un foyer actif de spiritualité. En 1619, le frère André de L'Auge y célèbre dans la prose lyrique de ses sermons le mystère sacré de l'Immaculée Conception, marquant une communauté d'inspiration avec les « nuits* » de La Tour. Cette spiritualité franciscaine, qui sait donner au christocentrisme et à l'art* religieux une tonalité affective, est l'un des outils de la Contre-Réforme en Lorraine et l'une des composantes majeures de l'art de La Tour. Deux de ses cousins de Vic*-sur-Seille sont franciscains et son premier protecteur, Alphonse de Rambervillers, est étroitement lié au frère de L'Auge, auquel il lègue le livre de Jérôme Natal sur la vie du Christ, contenant des estampes « excellemment élaborées » « avec le volume de méditation sur chaque tableau ». Au même moment, Pierre Seguin invite le chrétien, par ses oraisons, à la « nuit de l'âme » où « l'amour vrai et parfait se contente de l'amour pur ». OB

■ DATES ET SIGNATURES
Les preuves de l'authentique ?

Si une quinzaine de compositions de La Tour sont signées, seuls trois nocturnes sont datés : *Le Paiement* des taxes* (date illisible), *Les Larmes* de saint Pierre* (1645) et *Le Reniement* de saint Pierre* (1650). Les signatures, complètes et superbement calligraphiées pour *Saint* Thomas* ou *La Diseuse* de bonne aventure*, se limitent ailleurs au patronyme, suggérant dans certains cas une autre participation – celle d'Étienne* ? Quant aux dates, elles distinguent des œuvres trop problématiques pour décrire l'évolution du peintre : *Le Paiement des taxes* semble un nocturne précoce, encore marqué par le maniérisme* de Bellange* ; les *Larmes* comme *Le Reniement de saint Pierre* traitent des sujets abordés bien des années auparavant, et parfaitement maîtrisés.

Il ne nous est pas possible, d'autre part, d'identifier avec certitude les œuvres datées dans les documents d'archives. Ainsi, Chrétien de Nogent possédait à sa mort en 1638 une *Madeleine** originale de La Tour, mais de quelle version s'agissait-il ? De même, « l'Image saint

Alexis » que La Ferté souhaita posséder en 1648 a donné lieu à deux versions connues. Le *Saint* Sébastien*, dont un exemplaire fut présenté au gouverneur de Nancy* à la fin de 1649, ne semble pouvoir correspondre à la composition du Louvre, dont les examens en laboratoire* montrent la lente et complexe élaboration, peu vraisemblable à cette date tardive.

Ainsi, dates et signatures ne sont pas toujours des indices fiables pour établir des attributions et une chronologie* fine de l'œuvre de La Tour. Depuis sa redécouverte* au début du siècle, elle a d'ailleurs beaucoup varié. AR

Signature complète de Georges de La Tour. Détail de *La Diseuse de bonne aventure*. New York, Metropolitan Museum of Art.

■ Découverte du corps de saint Alexis (La)

Comme c'était aussi le cas pour *La Madeleine* pénitente*, *Les Larmes* de saint Pierre* ou *L'Éducation* de la Vierge*, La Tour propose deux versions, en pied et en buste, de ce sujet rare, mis à l'honneur par la Réforme catholique, et qui est représenté en 1649 dans la collection du marquis de La Ferté. Fils unique de nobles romains, pieux et charitables, Alexis s'enfuit le soir même de ses noces et part vivre sa foi en Orient, où il séjourne dix-sept ans. De retour à Rome, il se glisse sans se faire connaître parmi les serviteurs de la maison paternelle, et dix-sept années passent encore avant qu'il ne s'éteigne sur sa couche, dans la soupente d'un escalier. Le billet glissé entre ses mains révèle son identité et son histoire.

St Beatus étendu mort dans une grotte, gravure d'Urs Graf (d'origine suisse comme Claude Dogoz, de Vic*-sur-Seille), propose un schéma de composition si proche du tableau de La Tour qu'il peut en avoir été l'une des sources formelles. Chez Graf, le

*La Découverte
du corps de
saint Alexis.*
H/t 158 × 115.
Nancy, Musée
historique lorrain.

saint étendu devant la grotte et le serviteur agenouillé qui le découvre, à la lueur d'une torche sommaire, dessinent les deux côtés d'un triangle dont le troisième se dissout dans l'obscurité du fond. Il en va de même chez La Tour, mais le décor de grotte et les témoins de la scène disparaissent. La jeunesse élégante du page interrogeant une mort austère mais douce, la forte réalité de la torche inclinée qui délimite l'ombre et la lumière mais autorise leur alliance, portent le sujet à un haut niveau d'émotion. L'effet de lumière*, qui illumine le visage de l'adolescent, enflamme son pourpoint et révèle la présence du billet, décrit l'avènement d'une conscience. L'arc tendu entre les regards, yeux ouverts sur la vie et paupières closes par la mort, fait vibrer un parcours, de la vie au renoncement, et à la mort. À l'exemple de la flamme. AR

1619, il bénéficie immédiatement de l'appui des ducs* de Lorraine et prend la place laissée vacante par la mort de Bellange en 1616. Ce retour n'est certainement pas étranger au choix qu'a fait La Tour de s'installer à Lunéville* plutôt que de rester à Nancy.

Figure emblématique de l'art en Lorraine, considérée parfois comme dénuée de génie, Deruet connaît un grand succès de son vivant et jouit d'une solide aisance financière. Sa maison nancéienne dite *la Romaine* est la plus belle de la ville. Il pratique toutes les formes artistiques attachées à l'art de cour : le portrait tout d'abord, reprenant à l'infini un même type physique (petite bouche et grands yeux ronds), vidé de tout contenu psychologique ; ensuite, le décor éphémère, celui du carrousel de

Deruet (Claude)

Après quatre années d'apprentissage auprès de Bellange*, Deruet (1588-1660) quitte la Lorraine* pour le traditionnel séjour en Italie. À une époque où le caravagisme* a conquis de nombreux adeptes au-delà des frontières italiennes, Deruet, lui, se tourne vers les derniers tenants du maniérisme*, Tempesta et le Cavalier d'Arpin dont il fréquente l'atelier à Rome*. Revenu à Nancy* en

Charles IV auquel participe aussi Callot* ; enfin, le recours à l'allégorie, en particulier dans sa célèbre série des *Quatre Éléments* (Orléans, musée des Beaux-Arts), peinte pour le château de Richelieu vers 1640-1642. Il peuple de petites figurines, parfois désarticulées, ses paysages artificiels et décoratifs. Quant à sa production religieuse, il n'en reste que peu de traces : le décor de l'église des Carmes à Nancy a disparu. BS

Claude Deruet
(1588-1660),
Les Quatre Éléments : le feu.
H/t.
Orléans, musée
des Beaux-Arts.

■ DISEUSE DE BONNE AVENTURE

Découvert près du Mans en 1946, le tableau est célèbre. Rôdent autour de lui des effluves de scandale : des surenchères financières Wildenstein empêchent le Louvre de l'acheter et le font aboutir, à un prix de grand maître, sur les cimaises du Metropolitan de New York. La toile est mise en doute, attribuée à un faussaire… En réalité, les seules modifications par rapport à l'état original sont la réduction du tableau, sur une vingtaine de centimètres, du côté gauche et l'ajout en haut d'une bande de quelques centimètres : la composition était ainsi centrée sur l'action des personnages.

Le sujet est devenu à la mode à Rome* autour de 1600. Caravage* en présente une version subtilement amoureuse, Valentin une lecture grave et réaliste, Simon Vouet une narration burlesque, avec le thème du voleur volé. La Tour en propose une parabole moderne. Comme dans les *Tricheurs**, le jeune garçon somptueusement vêtu est sans doute le fils prodigue. Tout l'oppose à la vieille gitane : blancheur distinctive contre peau foncée, traits lisses et calmes contre rides contractées en rictus, sobriété du surcot contre bariolage du tapis qui sert d'habit à la gitane. Elle ne croit plus à rien ; ingénu, il croit encore au monde, à l'amour et à la foi, devise inscrite sur sa chaîne. Insouciant du présent, préoccupé de connaître l'avenir, il ne sait pas voir sa propre décrépitude qui lui fait face, et se fait berner sur l'instant.

Parabole racontée avec effet et simplicité. Au fascinant ballet de mains virevoltant furtivement dans la pénombre,

Bartolomeo Manfredi,
La Diseuse de bonne aventure, 1605-1610.
H/t 121 × 125,5. Detroit, Institute of Art.

La Diseuse de bonne aventure

H/t 102 × 123
New York, Metropolitan
Museum of Art.

répond le silencieux arc de cercle des cinq têtes, vues de face ou de pur profil, et le regard intense des prunelles noires. Sur un fond brun atone, rappelé au centre dans l'habit du jeune homme, la peinture joue sur les blancs et les rouges vifs, de l'orangé au rose saumon. La Tour sait allier la simplification limpide des formes et l'éclat scintillant d'un gousset bleu ou d'une gaze légère et dorée. Toute la fascination qui émane de ce tableau est symbolisée dans la tête blanche de la jeune femme au centre, « aussi pâle et mystérieuse que la lune ». OB

▧ Ducs de Lorraine

La Tour naît sous le règne du duc Charles III (1543-1608) : fin de siècle difficile, troublée par les guerres de Religion dans lesquelles le duc, figure de la Ligue, est partie prenante. La conversion du roi Henri IV, modifiant les données politiques, permet au duché de se reconstruire. « La Lorraine est un très beau pays, abondant en toutes sortes de vivres, car il n'y manque rien », écrit en 1612 Charles de Lespine. L'extension de la capitale et la création de la Ville-Neuve sont le signe manifeste de cette prospérité. Le duc s'entoure d'une cour capable de rivaliser avec ses voisines. Il y reçoit fastueusement en 1603 Henri IV et Marie de Médicis. Il y fait venir des peintres, comme Claude Henriet, et protège Jacques Bellange*. La Tour, s'il fit son apprentissage à Nancy*, a pu assister en 1608 aux fastes des funérailles ducales, et à l'entrée d'Henri II (1563-1624). Le successeur de Charles III poursuit avec un génie moindre la politique paternelle, mais dès 1620 les prémices de la guerre de Trente Ans et les difficultés monétaires annoncent d'autres temps. Pourtant c'est autour des années 1620 que la peinture en Lorraine* connaît un exceptionnel crépuscule. Bellange n'est plus, mais La Tour réapparaît à

Anonyme du XVIIe siècle, *Charles III, duc de Lorraine* (détail). H/t 125 × 101. Nancy, Musée historique lorrain.

Vic*-sur-Seille en 1616, Deruet* revient d'Italie en 1619, puis Leclerc* en 1622, quelques mois après Callot*. À la mort d'Henri II, en 1624, sa fille Nicole lui succède, unie à Charles de Vaudémont, son cousin, qu'elle avait épousé en 1621. Mais il la dépose presque

aussitôt et, devenu Charles IV, entame un règne désastreux. La Lorraine devient un champ de batailles où les misères de la guerre succèdent aux ravages de la peste. « Jardin au cœur de la chrétienté », elle n'est plus, à la mort du peintre, qu'un espace saccagé. AR

■ **Éducation de la Vierge (L')**

Des copies, un fragment, un original douteux rendent complexe l'approche de *L'Éducation de la Vierge*. La copie (Suisse, Kreuzlingen), représentant la Vierge et sainte Anne en pied, renvoie à un original perdu. Le

L'Éducation de la Vierge (au livre). Copie. H/t 83,8 × 100,4. New York, Frick Collection.

ÉDUCATION DE LA VIERGE

« La Tour ne gesticule jamais.
En un temps de frénésie,
il ignore le mouvement.
Qu'il soit capable de le représenter
bien ou mal ne vient
même pas à l'esprit : il l'écarte. »

André Malraux, 1951.

fragment (conservé à Detroit), une tête d'enfant de six à sept ans, appartient de toute évidence à un autre exemplaire, de conception plus traditionnelle, sur le thème de la Vierge apprenant à broder. Enfin, le tableau de la collection Frick à New York représente les deux protagonistes à mi-corps en train de méditer sur un livre. La Tour a plusieurs fois montré une prédilection pour la répétition d'un même thème : en témoignent aussi les différentes versions de *L'Extase* de saint François*. Bien que signé, le tableau Frick suscite des réserves et il est considéré comme une copie ou, au mieux, comme une œuvre du fils de La Tour, Étienne*. Il est vrai qu'une restauration abusive le dénature. La Tour saisit, dans une vision à la fois tendre et intime, le moment de recueillement qui suit la lecture d'un texte que l'on peut imaginer chargé d'un contenu religieux. La bougie* voilée par la main de l'enfant suggère la méditation commune sur le destin qui sera celui de la Vierge. L'analogie avec *Le Nouveau*-Né* de Rennes indique une datation entre 1645 et 1648. Le sujet, apparu dès le XVe siècle, a connu une grande vogue au XVIIe siècle en Lorraine*. Cette éducation passive, en milieu féminin, fait pendant à l'éducation active que reçoit Jésus dans le *Saint* Joseph charpentier*. BS

L'Éducation de la Vierge (à la broderie). Fragment conservé de l'original détruit. H/t 57 × 44. Detroit, Institute of Art.

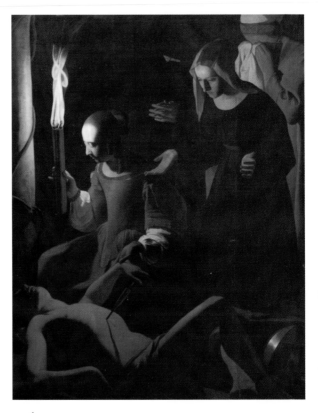

Saint Sébastien soigné par Irène. H/t 162 × 129. Berlin, Gemäldegalerie.

■ Étienne

La Tour engagea au moins six apprentis, mais deux seulement exercèrent le métier de peintre : Étienne, son fils, né en 1621, et Jean-Nicolas Didelot, dont le contrat fut signé en 1648, moins de quatre ans avant la mort du maître. L'apprentissage d'Étienne dut se situer entre 1634 et 1639, années des pires désastres pour la Lorraine*. Il est probable qu'il n'ait appris le métier de peintre qu'avec son père, et à Lunéville* même, alors que Georges déjà se tournait vers la France. Il semble naturel qu'il l'ait accompagné à Paris* entre 1638 et 1641. Qualifié de peintre du roi dès 1648, le jeune homme s'était marié l'année précédente, et il allait désormais assister La Tour, tant dans l'exercice de son art que dans la conduite de ses affaires.

La « façon La Tour » fut tôt prisée et copiée en Lorraine, de l'aveu même du peintre, qui chercha à recouvrer en 1641 une *Madeleine** impayée, « de son propre travail », « pourveu que ce soit en son original ». Il est vraisemblable que, en marge des chefs-d'œuvre reconnus, l'atelier ait répondu à des impératifs plus commerciaux. Bien des sujets, médités toujours plus avant par le peintre, ont fait l'objet de compositions différentes : *Tricheur** à l'as de trèfle ou à l'as de carreau, *Vielleur** au chapeau ou au ruban, *Madeleine* en pied ou en buste. La main de La Tour s'y reconnaît d'emblée. Mais il peut aussi s'agir de répliques, comme le *Saint* Sébastien* de Berlin, d'une extrême qualité, moins convaincante cependant que la version antérieure du Louvre. Étienne y aurait-il collaboré ? D'autres compositions encore, pourtant signées, révèlent à l'examen une technique sommaire, sinon grossière (*Le Souffleur* à la lampe*, Dijon), ou une manière déconcertante (*Saint* Jérôme lisant*, Nancy). Le *Saint* Jean-Baptiste*, récemment acquis par le département de la Moselle et destiné au musée de Vic*-sur-Seille, est tout aussi problématique. À quoi ou à qui attribuer ces différences ? La contribution d'Étienne à la production de La Tour suppose des caractéristiques constantes, et il n'est pas possible de lui attribuer contradictoirement le meilleur et le pire. C'est pourquoi il serait précieux d'identifier une œuvre de sa main, afin d'établir la part cohérente de sa collaboration dans l'atelier paternel. AR

Page suivante :
L'Extase de saint François.
Copie.
H/t 154 × 163.
Le Mans, musée Tessé.

Caravage, *Annonciation*, 1608-1609.
H/t 300 × 174.
Nancy, musée des Beaux-Arts.

■ EUROPE : UNE INTERNATIONALE ARTISTIQUE

En 1610, pour la première fois depuis bien longtemps, la paix règne sur l'ensemble de l'Europe. La capitale des arts est alors sans conteste Rome*, mais nombreux sont les autres centres qui maintiennent une tradition artistique vivante et autonome. En France, la politique culturelle d'Henri IV a ressuscité l'école de Fontainebleau et le foyer parisien se développe : le peintre anversois Pourbus, appelé par la reine Marie de Médicis, arrive d'Italie en 1610 et Lallemant*, natif de Lorraine, y débute une carrière chargée de commandes dès l'année suivante.

À Nancy* même, Charles III développe un mécénat de cour comme Rodolphe II à Prague ou les ducs de Gonzague à Mantoue, et la Lorraine* retrouve ainsi une tradition artistique magnifiquement affirmée depuis Ligier Richier. Plus au nord, les membres de l'Académie de Haarlem, Goltzius, Van Mander, Cornelisz Van Haarlem, en contact étroit avec Bloemaert et Wtewael à Utrecht, redonnent au maniérisme* un dernier prestige international en assurant une fusion de la romanité et de la tradition nordique, en même temps qu'ils insufflent l'élan au siècle d'or de la peinture hollandaise.

Rome, moins qu'un moule artistique se réduisant à une école, est alors un foyer où différents courants coexistent et dont la vivacité attire grand nombre d'artistes. Autour de 1610, on y rencontre aussi bien Rubens que l'Allemand Elsheimer, le Lorrain Callot*, Simon Vouet ou les caravagesques* de l'école d'Utrecht (Ter Brugghen, Van Honthorst, Van Baburen). Les artistes voyagent, les œuvres circulent. La technique de l'estampe permet une diffusion internationale très rapide et durable, et les tableaux eux-mêmes passent les frontières. Le premier contact de La Tour avec l'art du Caravage a lieu très probablement dans la cathédrale de Nancy, lorsque, vers 1610, est installée solennellement l'*Annonciation* du maître romain, don du duc* de Lorraine. Une œuvre que le maniériste Bellange* s'empressera de diffuser par la gravure. OB

■ Extase
de saint François (L')

La Tour a traité le thème de saint François à au moins trois reprises, mais aucun original n'est localisé. Une gravure, long-temps dite « des deux moines », représente saint François médi-tant, la main posée sur une tête de mort, face au frère Léon, témoin encapuchonné de la scène. Le tableau conservé au musée Tessé du Mans et long-temps admis comme de la main de La Tour s'avère une copie ancienne comme l'indiquent la lourdeur du métier, l'éclairage bouché et certaines maladresses de composition. La figure isolée de saint François (ill. p. 83), tirée de la version du Mans, est peut-être un fragment d'une autre composition ou un tableau à part entière, ainsi que le laisse-raient penser quelques diffé-rences dans l'éclairage. La ver-sion la plus spectaculaire demeure celle du Mans : par ses dimensions, qui en font l'œuvre la plus importante de La Tour, mais aussi par l'interprétation de cette iconographie qui a inspiré maints artistes (Caravage*, Sara-ceni…). Saint François rejeté en arrière, la bouche entrouverte, les yeux fermés, n'appartient déjà plus au monde terrestre alors que frère Léon, qui adopte une attitude de prière classique, les mains croisées, conserve une matérialité pourtant réfléchie. La lecture des écritures à la flamme de la bougie* a-t-elle conduit à cette révélation ? La Tour sim-plifie à l'extrême la narration : aucune concession au décor, aucune apparition d'anges, deux êtres simples dont l'attitude de l'un témoigne de sa communion avec le divin. La spiritualité fran-ciscaine connaît un grand élan en ces périodes tragiques qui éprouvent la Lorraine*. BS

■ FEMME À LA PUCE (LA)

Parmi les diverses interprétations auxquelles le sujet de ce tableau s'est prêté, celle qui fait de cette femme une servante enceinte, se repentant de sa faute, est la plus difficile à accepter. Certes, le personnage est doté de formes pouvant évoquer la maternité, mais sa condition modeste semble démentie par le style du fauteuil, le tabouret, le bougeoir et le bracelet de jais (identique à celui de l'une des bohémiennes de *La Diseuse* de bonne aventure*). De même, les sources bibliques ou religieuses paraissent douteuses en l'absence de détails précis qui les conforteraient, qu'il s'agisse de voir en cette femme Agar ou Madeleine (bien trop différente des autres Madeleine* peintes par l'artiste).

Il est donc préférable de revenir à la tradition ancienne qui reconnaissait dans cette toile une femme en train de s'épucer (ou s'épouiller ?) avant son coucher : la puce n'est-elle pas visible entre les doigts de ses deux mains crispées ? La Tour n'est pas le premier à avoir traité cet épisode tiré de la vie quotidienne, à une époque où les mauvaises conditions d'hygiène, dans toutes les couches de la société, favorisent le développement de la vermine. L'origine de ce thème réaliste est à rechercher chez les peintres caravagesques* (Van Honthorst ou Trophime Bigot). Mais la flamme, symbole de la présence de Dieu, n'est-elle pas réservée chez La Tour aux peintures religieuses de format important ? Cette flamme, placée presque au centre de la composition, éclaire tout autant l'espace vide où trône la chaise que la femme dont les formes robustes sont ciselées par cet éclairage vif et uniforme. Elle confère à la scène, même prise dans son sens anecdotique, un sens sacré ou plutôt universel, celui d'une réflexion sur la vanité de la condition humaine. L'attitude de la femme est concentrée sur l'acte qu'elle exécute, qui n'est pas sans rappeler celui de la prière.

La datation de *La Femme à la puce* suscite encore des controverses. Certains historiens la situent vers 1630-1634, la rattachant aux *Tricheurs**. Le métier en pâte des manches de la chemise rappelle même la libre écriture des années de jeunesse. Les partisans d'une datation plus tardive s'appuient sur le sentiment de dépouillement et sur le traitement géométrique du corps (jambes de la femme) pour placer l'œuvre dans les années 1640. BS

La Femme à la puce
H/t 120 × 90. Nancy, Musée historique lorrain.

Vieillard.
H/t 90,5 × 59,5.
San Francisco,
Fine Arts
Museums.

Mabuse,
Couple agé,
1510-1528.
H/b 46 × 67.
Londres,
National Gallery.

▪ Flandres

Aux yeux des historiens d'art de l'aire latine, de Sterling à Longhi, le réalisme de La Tour avec ses effets de clair-obscur ne peut se comprendre que dans le courant caravagesque*, et suppose un voyage du peintre en Italie*. Les historiens anglo-saxons, au contraire, insistent sur le rôle probable de la peinture du Nord comme modèle pour l'art du peintre lorrain. L'approche vériste et le cadrage si particulier des *Mangeurs* de pois, coupés à mi-corps, peuvent s'inscrire dans une série qui remonte au *Couple âgé* de Mabuse et dans laquelle le peintre avait parfois abandonné la caricature pour rendre, même à travers un réalisme cru, la dignité des humbles. De nom-

Vieille Femme.
H/t 90,5 × 59,5.
San Francisco,
Fine Arts
Museums.

breux sujets de La Tour renvoient en effet à la peinture nordique : le paiement* des taxes, les rixes*, la figure isolée du musicien.

Certains tableaux peints dans l'entourage de Lucas Van de Leyde ont peut-être également inspiré La Tour, aussi bien dans leur sujet (les joueurs* de cartes) que dans leurs composantes stylistiques : un éclairage artificiel qui découpe les silhouettes, une vue plongeante qui met la table en aplat et isole ainsi les objets de la nature morte, une grande importance donnée aux gestes et aux regards, l'intensité du coloris. Un voyage aux Pays-Bas, en 1613-1616, a donc pu être aussi formateur pour La Tour que le traditionnel pèlerinage italien. Mais le peintre pouvait déjà trouver de nombreux éléments de son art en Lorraine*, des estampes de Bellange* à la peinture de Caravage*, et achever sa formation à Paris* : on a justement souligné la parenté qui unit les *Apôtres* d'Albi aux têtes de Lagneau dans leur traitement cru, simplifié, avec cette objectivité frontale, mais pleins d'une profonde humanité. OB

Pages suivantes :
Vieillard et *Vieille
Femme* (détails).
San Francisco,
Fine Arts
Museums.

■ FORTUNE : LA TOUR CÉLÈBRE ET INCONNU

L'actuel succès de La Tour ne saurait gommer trois siècles d'oubli et les injures du temps. De son vivant, ses toiles étaient appréciées en Lorraine*, à Paris*, et très probablement aux Pays*-Bas, chez le duc à Nancy* comme chez le curieux collectionneur* parisien Jean-Baptiste de Bretagne. Mais l'histoire de l'art académique n'a pas jugé digne le peintre des « nuits* » et des scènes de genre*, ses toiles n'ont pas été gravées, et leur dispersion, ainsi que les troubles de la Lorraine,

ont empêché qu'un noyau stable de référence subsiste à travers les siècles. Dès le XVIIIᵉ, La Tour est un nom sans œuvres, dont le prénom est devenu Claude… Ses tableaux pourtant sont admirés, et grâce aux saisies révolutionnaires ou aux collectionneurs de l'époque (Cacault à Nantes) ils figurent en bonne place dans les musées, mais anonymes. Stendhal, copiant Mérimée, attribue ainsi à Velázquez le *Vielleur** de Nantes, sans donc pouvoir le rattacher aux deux autres « nuits » exposées dans le même musée et signées La Tour. Taine célèbre *Le Nouveau*-Né* de Rennes alors que le *Journal de la Société d'archéologie de Lorraine* publie une brève biographie de l'artiste.

Le Vielleur (au chapeau), 1628-1630. H/t 162 × 105. Nantes, musée des Beaux-Arts.

En pleine Première Guerre mondiale, l'historien d'art Hermann Voss relie la biographie du peintre lorrain aux « nuits » signées de Nantes ; l'Italien Roberto Longhi, qui se passionne pour les caravagesques*, signale cette étude aux historiens d'art français qui s'intéressent dès lors au peintre. En 1931, Voss, reprenant une intuition de Pierre Landry, reconnaît que le peintre des « nuits » est le même que l'auteur du *Tricheur**, signé, des deux *Saint* Jérome* et du *Vielleur* de Nantes : les bases principales du catalogue de l'artiste sont désormais établies. La Tour est la révélation de l'exposition des Peintres de la réalité, organisée par Charles Sterling en 1934, et concurrence la renommée des Le Nain, redécouverts près d'un siècle plus tôt. Depuis, le peintre est l'objet d'une admiration* nationale. L'histoire de l'art a réinventé La Tour, homme et œuvre. OB

GELLÉE

Gellée (Claude)

« Claude Gellée, dit le Lorrain », c'est ainsi que Claude, né en 1600 à Chamagne, non loin de Lunéville*, signe sur le tard de sa vie deux lettres à l'un de ses commanditaires de paysages. L'attachement de Claude à sa Lorraine* natale n'aura en effet de cesse : en 1670, il demande dans son testament que cinquante messes soient célébrées à sa mort dans l'église de Chamagne, « sa patrie », et augmente les legs faits à ses neveux restés outre-monts.

Vers 1613-1614, soit aux mêmes dates que l'hypothétique voyage italien de La Tour, Claude gagne Rome*, où il étudie peut-être chez Agostino Tassi.

À la fin d'avril 1625, il retourne en Lorraine, en passant par Lorette et Venise, et, grâce à un parent, travaille sous la direction de Claude Deruet* au décor de l'église des Carmes de Nancy*, dans laquelle il peint les architectures. À cette date, la collection du duc contient déjà deux La Tour ; Deruet, Leclerc* et Callot*, qui tous ont effectué le voyage romain, sont déjà solidement implantés dans le duché. Claude repart donc pour Rome en 1627 où, dès 1636, il connaît un vif succès grâce à ses paysages, travaillant aussi bien pour la grande noblesse romaine, le pape Urbain VIII, que les ambassadeurs de France

à Rome : c'est le type de succès que pouvait espérer La Tour en se rendant en Italie*.

Mais l'univers poétique des deux peintres lorrains est remarquablement différent : tandis que l'un n'eut de cesse de

chanter, sur le mode de l'églogue virgilienne, une campagne romaine idéalisée, l'autre limita volontairement son monde aux occupations de l'homme, du jeu* à l'ascèse. Mais, à travers les reflets bleutés des ports de mer ou la lumière* profonde de la nuit, les deux peintres lorrains, comme tous les artistes du Grand Siècle, quêtent la place de l'homme dans l'univers. OB

Claude Gellée (1600-1682), *Paysage pastoral.* Plume, lavis gris et brun et rehauts de blanc. Paris, musée du Louvre.

■ GENRE : L'ART DU QUOTIDIEN

De même que, selon Aristote, la tragédie est supérieure à la comédie, de même, jusqu'au XIXe siècle, la peinture d'histoire, sacrée ou profane, l'emporte sur les autres genres, dits inférieurs : le portrait, le paysage, les natures mortes et les scènes de genre. Ce primat de la peinture d'histoire, énoncé par Alberti dès le XVe siècle, se trouve renforcé dans l'Europe latine du XVIIe siècle avec la Contre*-Réforme catholique, qui réaffirme le rôle didactique de l'image, et les académies, où l'on insiste sur le statut libéral de la peinture.

Renforcé, car vivement combattu. La Réforme protestante, en condamnant la plupart des images religieuses, oriente les peintres vers les représentations du monde quotidien, du portrait aux scènes de genre. Ce type de sujet est en fait très apprécié par un large public, comme le montrent les inventaires parisiens dès 1600, les tableaux maniéristes représentant des scènes de comédie (*Georges prompt à la soupe*, de Lallemant*) et la production des graveurs, de Bellange* à Callot*. Dans les mêmes années, le Caravage*, refusant d'imiter les modèles idéalisés antiques, reproduit sur sa toile une « tranche de

Georges Lallemant (?), *Georges prompt à la soupe.* H/t 111 × 81. Varsovie, Musée national.

vie », avec *La Diseuse de bonne aventure*. Les peintres caravagesques vont diffuser, de Rome* à Utrecht, ses scènes de jeux, alors que le roman picaresque connaît un vif succès.

Mais une certaine confusion s'établit. Les caravagesques représentent la vie de Jésus dans des costumes contemporains. La facture d'une scène de genre peut être aussi soignée, sa composition aussi bien disposée que celle d'un sujet noble. Dans une peinture de genre, l'artiste peut s'attacher tout autant à la figure humaine, à la mimique des mains ou à l'effet de transparence d'un verre de cristal, s'affirmant ainsi comme peintre de figure ou, mieux, comme peintre universel, ainsi que le voulaient Alberti et Léonard de Vinci… OB

*« Tout chez La Tour, le Lorrain,
trahit l'enchevêtrement des instincts et des traditions
du Nord et du Sud, de l'Ouest et de l'Est. »*

Charles Sterling, 1935.

Maître
de Serrone,
*L'Atelier
de saint Joseph.*
Serrone (Foligno),
Santa Maria
Assunta.

■ Italie

De nombreux indices suggèrent que La Tour effectua un voyage à Rome* : la forte composante caravagesque* de son art, son absence des archives lorraines de 1613 à 1616, la coutume du voyage italien pour les artistes lorrains de sa génération. Mais aucune mention ne figure dans les registres paroissiaux romains, aucune œuvre n'atteste la présence du peintre à Rome.

Un tableau surprenant, peint avant 1617, a été localisé récemment dans le petit village de Serrone, entre Rome et Lorette, sur la route empruntée par les voyageurs qui retournent dans le Nord. Cette découverte comblerait-elle notre lacune ? L'iconographie particulière de l'œuvre se rattache à un prototype non encore découvert : elle évoque discrètement le sacrifice de Jésus, dans une scène familiale qui se déroule au milieu de l'établi. Le pays d'origine de l'artiste est très probablement nordique, quelque part entre Reims et le Rhin : la tête du Christ enfant rappelle celle de l'Ange au sourire ; le sens si particulier de l'espace, la fenêtre gothique font penser au primitif Konrad Witz. Le peintre est encore sous le choc de la découverte de l'art du Caravage, mais

Caravage,
Les Tricheurs,
v. 1594.
H/t 90 × 112.
Fort Worth,
Kimbell
Art Museum.

déjà il tente d'aller plus loin : il scrute avec sympathie saint Joseph à la barbe hirsute, « qui regarde mais ne comprend pas » (J. Thuillier) ; il retrouve, au-delà d'une description attentive des outils du menuisier, une tendance à une certaine géométrisation simplificatrice, réussit à concilier simplification formelle et iridescence du coloris, osant juxtaposer un rouge rosâtre, un bleu franc et le blanc d'une pelote près d'un panier d'osier. À coup sûr, une œuvre de jeunesse d'un artiste prometteur, mais qui risque de rester encore longtemps anonyme... OB

■ Jeu, joueurs

« Le jeu, le vin et les dames sont la perte de nos âmes », dit le proverbe.′ Les jeux de hasard, condamnés par l'Église mais très répandus au sein des troupes militaires, se diffusent dans toute la société dès le XVIe siècle. Au XVIIe, on joue aux dés, aux dames, aux cartes, on parie parfois de très

*Le Tricheur
à l'as de trèfle.*
H/t 96 × 155.
Fort Worth,
Kimbell Art
Museum.

grosses sommes, et tricher devient un véritable métier. Malgré les interdits royaux, nombreux sont ceux qui succombent à la passion du jeu, tels le cardinal Del Monte, protecteur du Caravage*, ou le gouverneur de Lunéville*, le maréchal de La Ferté, grand amateur de La Tour et qui possède, entre autres toiles, des « joueurs de cartes ».

Mais derrière la scène de genre*, la tranche de vie, se cache souvent la leçon de morale. Le jeu de dés constitue le thème principal du *Reniement* de saint Pierre* offert à La Ferté en 1650. Dans les deux versions des *Tricheurs**, La Tour associe à la débauche du jeu de cartes les dangers du vin et des femmes, et les contemporains reconnaissaient très probablement, dans la figure du damoiseau en train de perdre au jeu, celle du fils prodigue en train de perdre son âme. Dans la décennie 1620, Callot* grave justement une scène nocturne, inspirée d'un tableau de Leclerc*, où l'enfant prodigue se damne dans les plaisirs du jeu et de l'amour (le *Brelan*, ill. p. 79). Van Baburen, dans ses *Joueurs de jacquet*, peint en fait une vanité, et Crispin de Passe, dans sa gravure d'après ce même tableau, insiste par une légende moralisatrice sur les dangers de ces divertissements éphémères.

Les représentations du jeu chez la Tour font naturellement penser aux *Tricheurs* du Caravage et de Valentin ; mais le thème et son traitement peuvent tout aussi bien provenir des Flandres*. OB

Certains ont voulu voir dans l'espace neutre de la scène l'intérieur d'une prison : un prisonnier visité par une femme, vision profane de la composition qui s'oppose à une lecture religieuse : saint Pierre et l'ange – mais peut-on vraiment reconnaître un ange dans cette femme monumentale ? Une autre interprétation rattache le thème de ce tableau à l'une des sept œuvres de miséricorde : nourrir ceux qui ont soif ou vêtir ceux qui sont nus. Mais l'hypothèse la plus convaincante demeure celle de Job et de sa femme. Un dialogue, soutenu par le regard, s'établit entre les deux personnages : Job, accablé de misères, accepte le jugement de Dieu que conteste son épouse avec une gestuelle significative. Le geste de sa main droite décline des arguments et l'ombre du bras vient accompagner ce discours qui reste vain. L'histoire de Job résume la question fondamentale de l'existence du mal et de la souffrance humaine. L'écuelle cassée d'où provient le tesson avec lequel Job gratte son ulcère, de même que son corps de vieillard amoindri et flétri, sont un témoignage matériel des maux qu'il endure. Les difficultés que connaît alors la Lorraine* ne sont certainement pas étrangères au choix de ce thème. Il n'y a aucune raillerie de la part de la femme, mais une attitude presque maternelle, quoique chargée d'incompréhension. Sans aucune concession à l'anecdote, La Tour joue des contrastes : cette femme gigantesque, qui devient une forme presque abstraite, est contrainte de se pencher vers Job comme si la toile ne suffisait pas pour la contenir. Sa robe rouge massive tranche avec le corps nu de son mari. L'éclairage de la bougie* accentue cette opposition en sculptant le corps de Job – en particulier ses genoux – et en faisant resplendir la masse rouge, seule réelle couleur du tableau. L'admiration* que suscita ce tableau tient à sa portée profondément humaine.

La datation de cette œuvre suscite encore des hypothèses variées, et l'état du tableau, usé par des nettoyages anciens, contribue sans aucun doute à sa difficile appréciation. Œuvre de la maturité, peut-être même la dernière toile de l'artiste, elle a été tout récemment replacée (par Philip Conisbee, catalogue de Washington) au début des années 1630, partageant cette datation précoce avec *La Femme* à la puce. BS

Job et sa femme

H/t 145 × 97
Épinal, musée départemental des Vosges.

■ LABORATOIRE
Les dessous de la peinture

L'examen d'un tableau en laboratoire est une démarche de type archéologique. Il permet de pénétrer au cœur de la matière picturale pour reconstituer la mémoire de l'œuvre. Il produit les sources matérielles d'un tableau, à la manière dont la recherche d'archives en produit les sources historiques.

Ainsi nous sont données des informations précises sur le support : toiles économiquement utilisées par La Tour, dont la dimension correspond en général à la largeur des métiers à tisser de cette

Radiographie du *Vielleur*, fragment conservé de l'original, *Groupe de musiciens*. Bruxelles, Musées Royaux des Beaux-Arts.

époque, un mètre environ, auquel pouvait s'ajouter une bande de tissu d'un ou plusieurs morceaux, assemblés au point de surjet (*Saint* Sébastien*). Les châssis sur lesquels elles étaient tendues ont laissé des marques qui en indiquent la dimension d'origine (*La Découverte* du corps de saint Alexis*). Avec l'image radiographique, qui décèle les changements de composition et les repentirs, nous suivons le geste du peintre. La plus spectaculaire est celle de *Saint* Joseph charpentier*, qui montre sous le visage de l'enfant un autre visage, de face et légèrement penché. Mais d'autres images en rayons X (le *Tricheur**, *Saint Sébastien*, *Saint* Jérôme*) présentent des modifications significatives de la genèse de l'œuvre, à partir desquelles la distinction du prototype, des variantes, voire des copies d'un même thème devient possible.

La radiographie n'est plus alors la seule technique utilisée. Par l'étude approfondie de la matière et de ses constituants s'établit la distinction entre tableaux peints sur une couche préparatoire claire (matériau crayeux), œuvre de la première période, et tableaux plus tardifs peints sur préparation brune (terres ferrugineuses). Autant d'informations qui peuvent constituer des repères chronologiques* et des critères d'attribution. AR

■ Lallemant (Georges)

De tous les peintres lorrains de la première moitié du XVIIe siècle, Lallemant (1575-1636) est certainement le plus parisien. Installé dans la capitale dès 1601, il est à la tête d'un atelier florissant, fréquenté par les grands maîtres de la génération suivante tels Poussin, La Hyre et Champaigne. Lallemant répond à de nombreuses commandes : tableaux d'autel, décors muraux, cartons de tapisserie. Ses attaches lorraines, principalement à Toul, d'obédience française, lui ouvrent à Paris certains chantiers comme les Jacobins et les Feuillants du faubourg Saint-Honoré. Il bénéficie des commandes de tout ce qui compte alors sur la scène parisienne : l'Église, mais aussi les échevins de la Ville qui se font portraiturer en 1611 (Paris, musée Carnavalet) ; la corporation des Orfèvres, qui le choisit en 1630 pour le premier May de Notre-

Le Vielleur,
fragment conservé
de l'original,
*Groupe
de musiciens*.
H/t 85 × 58.
Bruxelles,
Musées Royaux
des Beaux-Arts.

Georges
Lallemant,
*Adoration
des Mages*,
v. 1620.
H/t 189 × 315.
Lille, musée
des Beaux-Arts.

Dame de Paris. Les rares tableaux que nous conservons de lui à ce jour révèlent ses liens avec le maniérisme* nordique et une forme de réalisme théâtral. Dans l'*Adoration des mages* (Lille, musée des Beaux-Arts), Lallemant est sensible à la leçon de l'Utrechtois Bloemaert, ainsi qu'en témoigne le coloris raffiné et brillant ; mais une œuvre comme *Georges prompt à la soupe* (Musée national de Varsovie), qui lui est attribuée, se rattache à la veine burlesque du caravagisme*. Dessinateur habile, il a parfois été confondu avec Bellange*. BS

■ Larmes de saint Pierre (Les)

Le thème du repentir a séduit La Tour, comme en témoignent les *Madeleine** ou les *Saint** *Jérôme*. Pierre a renié le Christ par trois fois avant le chant du coq. La Tour met l'accent sur le dialogue intense avec Dieu qui suit le reniement, dialogue démuni et silencieux que suggèrent les yeux fixes, les mains serrées – signe de prière et de supplication –, les grosses larmes figées sur les joues de l'apôtre. Témoin modeste de sa lâcheté et du mensonge, le coq adopte la même position statique et sans panache. Ce coq rejoint le panthéon des animaux de ferme que La Tour s'est plu à peindre : le chien du *Vielleur** de Bergues, le mouton de *L'Adoration** *des bergers*. La lumière* qui éclaire obliquement la scène ne provient plus d'une flamme de bougie*, mais d'une lanterne posée à terre, la même que celle du *Saint** *Sébastien pleuré par sainte Irène*, et émane aussi d'une deuxième source invisible (de nature divine ?) qui baigne le visage de saint Pierre. Ces deux sources lumineuses soulignent le traitement géométrique des

Les Larmes de saint Pierre, 1645. H/t 114 × 95. Cleveland, Museum of Art.

volumes. La figure monumentale du saint est traitée en angles aigus : les jambes que l'éclairage rend immatérielles, la bure peinte en aplats successifs, à laquelle répond l'angle de la table. Ce tableau constitue un jalon important dans la chronologie* de La Tour : il est signé et daté 1645. Il se situe à un moment où La Tour fait la synthèse entre ses goûts naturalistes du début et sa tendance à la stylisation géométrique de la maturité. BS

■ Leclerc (Jean)

Nancéien d'origine, Leclerc (v. 1587-v. 1632) quitte tôt la Lorraine* pour l'Italie. Il est signalé pour la première fois à Rome* en 1617, dans l'atelier de Carlo Saraceni. Sa relation avec ce dernier, caravagesque* de la première heure, est davantage celle d'un proche épigone que celle d'un élève. En effet, Leclerc fait sienne la manière de Saraceni à tel point que leurs œuvres ont souvent été confondues. Il adopte la méthode « saracénienne » qui consiste à reprendre les mêmes sujets maintes fois et à plusieurs années de distance, en variant les formats et les supports (toile, cuivre, fresque...). En 1619, Leclerc suit à Venise Saraceni, qui mourra un an plus tard. Il retourne alors à Nancy* couvert de gloire, avec le titre de chevalier de Saint-Marc. Son style, marqué à la fois par le subtil caravagisme de Saraceni et par la préciosité d'Elsheimer, s'est nourri au contact de la peinture vénitienne d'une riche gamme colorée. De sa production lorraine demeurent principalement des tableaux religieux, notamment les deux *Saint François-Xavier prêchant aux Indiens*, une *Adoration des bergers* (Langres)

Jean Leclerc,
Le Concert nocturne.
H/t 137 × 170.
Munich,
Alte Pinakotek.

et *L'Extase* de saint François* (Bouxières-aux-Dames, église paroissiale), qu'il est intéressant de comparer au tableau de même thème de La Tour. Bien que Leclerc opte pour une composition épurée et sobre, il ne renonce pas moins à la présence de l'ange musicien. De son œuvre profane, *Le Concert nocturne* (connu par plusieurs versions peintes et gravées) demeure le témoignage le plus intéressant de ses recherches sur l'éclairage artificiel, tellement appréciées du milieu lorrain. BS

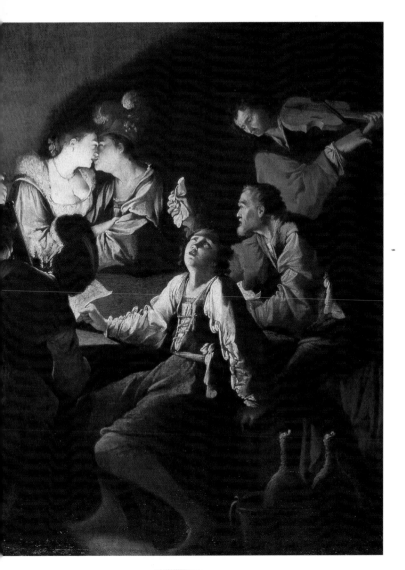

Jacques Callot (?),
*Le Tricheur
à la chandelle*, dit
le *Brelan*, v. 1628.
Eau-forte.
Nancy, musée
des Beaux-Arts.

Saint Joseph charpentier (détail). Paris, musée du Louvre.

◼ Lorraine

La Lorraine du début du XVIIᵉ siècle est une mosaïque territoriale et politique complexe, constituée par l'entrelacs des duchés de Lorraine et de Bar, et des Trois-Évêchés. La politique de paix et de neutralité menée par le duc* Charles III lui a apporté une prospérité forgée par de profondes réformes structurelles, et par la mise en place d'un personnel administratif de qualité. De nombreux artisans étrangers se sont installés à Nancy* dans la Ville-Neuve, et les grandes foires de Saint-Nicolas-de-Port attirent les marchands de l'Empire, des Flandres*, de la Suisse, de l'Italie.

La Réforme protestante n'a pas profondément troublé le duché, qui est devenu au contraire, à la différence de Metz, l'un des principaux centres de la Contre*-Réforme. Elle a touché les trois grandes familles religieuses, bénédictins, jésuites et franciscains, dont l'influence est déterminante dans la région. L'université jésuite de Pont-à-Mousson se veut un centre international, qui assure la formation, notamment juridique, des élites lorraines. Les franciscains conseillent les princes et orientent la piété. La production intellectuelle et artistique lorraine sera marquée par les multiples orientations de cette dévotion, ouverte aux influences étrangères, italienne ou espagnole.

Entre l'Empire, dont il est l'allié traditionnel, et le royaume de France, le duché devient dès les débuts de la guerre de Trente Ans un enjeu stratégique majeur. Le duc Charles IV accueille ouvertement à Nancy les ennemis de Richelieu, favorisant le mariage de sa sœur Marguerite avec Gaston, frère du roi. Le cardinal ne tarde pas à investir le duché et Nancy tombe en 1633. L'année suivante est institué dans la capitale ducale un Conseil souverain, et décrétée l'obligation du serment au roi de France, que La Tour prêtera entre les mains de Jean Bullion. Les réfractaires lorrains seront expulsés, les fortifications, celles de Lunéville* en particulier, détruites ; les troupes royales contrôleront désormais la totalité des places fortes lorraines. Mais l'indépendance du duché, dès lors sous tutelle française, ne sera pas remise en cause, en dépit de la poursuite des hostilités entre la France et l'Espagne, dont les ducs resteront jusque vers 1657 les alliés. AR

◼ LUMIÈRE : « LE POIGNARD DE LA FLAMME » (R. Char)

Les théologiens et les mystiques opposent deux espèces de lumière, *lux* et *lumen*, qui jouent aussi dans la représentation picturale. La première éclaire les corps de l'extérieur, sa source étant la lumière artificielle, celle des flammes, bougies*, veilleuses, lanternes, flambeaux ou braseros, déclinés selon de multiples variantes dans les compositions de La Tour. La seconde est une lumière spirituelle, ou divine, et éclaire de l'intérieur, comme si le corps lui-même la produisait. C'est elle qui fait du nouveau-né de *L'Adoration* des bergers une source chaude, irradiante. C'est elle qui rayonne du visage et des doigts de Jésus adolescent dans *Saint* Joseph charpentier. Ici la lumière a l'évidence d'une manifestation, à laquelle la flamme juvénile de la chandelle donne réalité ; ou bien elle porte à la contemplation, celle de *Madeleine** ou de *Saint François*, personnages auxquels convient davantage la lente flamme de la veilleuse ou de

la lampe à huile. Là, la lumière se cache, et la dévoiler implique un travail, une lecture des signes par lesquels elle s'exprime. Jour et nuit* sont les deux termes d'une contradiction qui se résout dans la « nuit lumineuse », chère à Jean de la Croix, et à Jean Humbert, le poète aveugle de Marguerite de Gonzague. « Les tenebres de mes yeux me font penetrer l'espesseur de celles qui doivent servir de jour à mon Ame », écrivait-il, traçant le chemin parcouru entre l'obstacle qu'est la réalité, celle des *Vielleurs** aveugles de La Tour, et le retournement, la conversion qu'il permet. Bien des textes d'inspiration mystique joueront à l'infini des significations de la lumière, de ses différences de qualité et d'intensité, ruinant toute tentation de codification qui serait, d'emblée, une incompréhension de l'image à laquelle elle peut fournir des formes sans en déterminer le sens. La seule piété ou pensée du peintre en garde la décision et les clés. AR

Lunéville

Une trentaine de kilomètres séparent Vic*-sur-Seille de Lunéville, petite ville comptant alors 2 000 habitants, située entre Meurthe et Vézouze, sur la route de l'Allemagne. Essentiellement agricole, elle jouit de nombreux privilèges commerciaux et bénéficie du voisinage de Saint-Nicolas-de-Port, où se tient l'une des plus grandes foires du pays. Mais Lunéville est aussi une place forte, que sa situation stratégique place très vite au cœur de la guerre de Trente Ans.

Le duc* Henri II affectionne cette cité où il se rend accompagné de sa cour. Il fait reconstruire le château sur les plans de son architecte La Hière, et l'on peut imaginer l'ouverture au cœur de la ville d'un véritable chantier, si modeste soit-il par rapport aux grands chantiers nancéiens du début du siècle. La Tour ne peut qu'y être intéressé. Le duc établit tout près du château un couvent de minimes, pour lequel il commandera au peintre une « Image saint Pierre ». D'autres établissements, l'abbaye Saint-Rémy, réformée à partir de 1623 par Pierre Fourier, puis les capucins et les carmélites, installés en 1632, contribuent à la qualité de la vie spirituelle, inspirant au peintre des thèmes, lui proposant des modèles (*L'Extase* de saint François*).

La Tour est le seul peintre du lieu. Fortement implanté dans une société où sa belle-famille lui assure les meilleurs appuis, il vit avec Diane, ses enfants, ses serviteurs, dans le quartier de l'église Saint-Jacques, non loin des capucins.

La peinture n'est pas sa seule occupation. À Lunéville et alentour, il possède et loue des terres, gère un patrimoine immobilier. Absent lors de l'incendie qui ravage la ville en 1638, il ne semble pas affecté durablement par la guerre, ni dans l'exercice de son art ni dans ses biens, à la différence des habitants de Lunéville qui requerront contre lui, stigmatisant les provocations d'une réussite qui semble trop faire fi de leur misère (voir Personnalité). AR

L'Adoration des bergers (détail). Paris, musée du Louvre.

L'Extase de saint François. Copie. H/t 66 × 78,8. Hartford, Wadsworth Atheneum.

■ MADELEINE

De tous les nocturnes peints par La Tour, la Madeleine repentante compte parmi les plus appréciés : en témoignent les six compositions originales connues, les copies d'après des œuvres aujourd'hui disparues et une gravure sur ce thème. Sainte Madeleine occupe une place privilégiée dans la dévotion du XVIIe siècle. L'être le plus humble qui existe, à la fois femme et pécheresse, prend place auprès du Christ aux côtés de Marie. Elle symbolise le cheminement le plus parfait vers la lumière* de Dieu, source de renoncement suprême et d'amour infini. À l'ascèse physique de saint* Jérôme répond la pénitence méditative de la sainte. La Tour, qui s'est plu à exploiter le principe de la série, retient le thème de la méditation sur la mort, en déclinant ce dépouillement progressif.

Dans *La Madeleine au miroir* (dite *Madeleine Fabius*, Washington, National Gallery, ill. p. 37), la sainte est représentée assise devant une table, la main droite – en lumière – sous le menton, et la main gauche – dans l'ombre de la mort – posée sur le crâne qui se reflète dans le miroir*. La scène est éclairée par une lumière indirecte : la flamme qui surgit derrière le crâne vacille du souffle de la sainte. Au vu des nombreuses copies connues, ce tableau, daté des années 1635, fut très apprécié. De datation un peu plus tardive, *La Madeleine* dite *Terff* (Paris, Louvre) est plus austère et de composition plus géométrique que la version très proche conservée à Los Angeles (ill. p. 36). Tout suggère le renoncement aux biens de ce monde : la chemise relâchée de la sainte, la présence répétitive de la corde (celle qui ceint la taille de la sainte, la mèche torsadée de la lampe, et surtout la corde avec laquelle la chair est mortifiée et qui évoque la flagellation du Christ). Son regard fixe mélancoliquement la flamme qui jaillit d'une simple lampe à huile. La poétique du miroir réapparaît avec *La Madeleine* dite *aux deux flammes* ou *Wrightsman* (New York, Metropolitan Museum, ill. p. 89-90), la plus élégante de toutes : le miroir richement encadré, reflet d'une beauté éphémère, la jupe seyante, ornée d'un galon, et les bijoux abandonnés. La dernière *Madeleine* redécouverte tend à la géométrie parfaite et atteint le dépouillement suprême. BS

La Madeleine pénitente, dite Madeleine Terff

H/t 128 × 94. Paris, musée du Louvre.

Annibale
Carrache
(1560-1609),
*Le Mangeur
de fèves.*
Rome,
Galleria Colonna.

■ **Mangeurs de pois (Les)**

Le tableau se situe au début de la carrière de La Tour, dans les années 1620, avant ou après la série des *Apôtres** d'Albi. Il fait partie des tableaux diurnes, à la gamme colorée réduite, rompue seulement par le rouge violent du manteau du vieillard. La scène échappe à toute interprétation symbolique (la représentation d'un des cinq sens, tel le goût) ou anecdotique (à l'inverse des interprétations à connotation paillarde de Georges Lallemant* ou plus grotesque d'Annibale Carra-

che). Elle relève de la vie quotidienne traitée avec un franc réalisme : les visages sont burinés, les yeux réduits par les cernes et les paupières flétries, les mains gonflées par le labeur, les vêtements rapiécés. Mais l'acte simple, celui de manger sa soupe, devient ici un rituel chargé d'une réflexion sur la condition humaine. Les deux personnages sont figés dans l'accomplissement de leur tâche. Leur attitude traduit l'effort, comme en témoignent le geste de la vieille femme qui conduit à sa bouche presque grimaçante ou l'aspect pesant du vieillard courbé par les ans. Ces gestes sont-ils exécutés avec un coquillage ou avec une cuillère ? La composition à mi-corps, étrangement coupée au niveau du bassin des deux protagonistes, n'a certainement pas été appréciée ou comprise puisque le tableau a été coupé, à une époque indéterminée, en créant ainsi deux pendants. Plusieurs copies rendent compte des dimensions originales du tableau qui présentait un format encore plus horizontal. BS

*Les Mangeurs
de pois.*
H/t 74 × 87.
Berlin,
Gemäldegalerie.

Jacopo Pontormo, *pala* de la chapelle Capponi, v. 1526. Florence, Santa Felicità.

■ Maniérisme

Après la tension classique des grandes pages de Raphaël dans les chambres du Vatican se diffuse en Italie et au-delà, avec le sac de Rome (1527), le maniérisme. Mais l'interprétation du terme prête à confusion : à la *bella maniera*, chère à Vasari (1550), qui correspond à un idéal raffiné de cour s'oppose la conception historique du maniérisme définie par les théoriciens classiques (une « idée fantastique fondée sur la pratique et non sur l'imitation », dira Bellori).

Certains caractères stylistiques se retrouvent aisément, de Pontormo à Bellange* : l'allongement des formes, l'abstraction du dessin et du coloris, un goût prononcé pour la forme serpentine, la recherche de la beauté des détails ; ils déterminent une « manière ». Le style se définit tout autant par une théorie (celle du *disegno interno*, l'idée formée dans le cerveau de l'artiste) que

Pages suivantes :
La Madeleine au miroir, dite *Madeleine Fabius* (détail). Los Angeles, County Museum of Art.

La Madeleine dite *aux deux flammes* ou *Wrightsman.* H/t 134 × 92. New York, Metropolitan Museum of Art.

par sa pratique ou sa sociologie (un art savant qui privilégie l'hermétisme et la fusion entre les arts décoratifs et les arts nobles). Pourtant cet art de cour, de Nancy* à Prague, réussit à devenir populaire. D'abord par son moyen de diffusion, l'estampe, grâce auquel il trouva une certaine unité européenne, intégrant ainsi l'art du Nord à la grande tradition artistique. Ensuite en adoptant des sujets populaires, comme les scènes de la commedia dell'arte ou des représentations de proverbes. Des registres de représentations que Callot* n'hésite pas à développer en plein XVIIe siècle et que reprend en partie La Tour. OB

■ MIROIR
Un néant qui attend une présence

Le thème de la Madeleine* pénitente donna lieu à l'une des séries de La Tour les plus méditées. Parmi les attributs significatifs de la sainte, le vase de parfums n'est jamais représenté, mais le miroir est une présence forte. À cause de la valeur marchande de son cadre, c'est l'un des objets les plus habituellement énumérés, avec les tableaux, dans les inventaires lorrains. Mais, à la différence du tableau, le miroir est d'abord un cadre vide, un néant qui attend une présence. Richement mouluré dans la *Madeleine Wrightsman*, il s'accorde aux sou-

venirs mondains de la pénitente dont les bijoux défaits sur la table, sur le sol, portent trace. Il reflète la flamme souveraine de la chandelle, posée sur son bougeoir. Madeleine ne cherche pas ici à mirer sa vanité. Le miroir joue un rôle d'intermédiaire de la vision et c'est la lumière* seule à laquelle tout l'espace est dévolu. Plus rustique dans la *Madeleine Fabius* et ses différentes copies jusqu'ici répertoriées, le miroir enferme étroitement dans son cadre le reflet du crâne posé sur le livre, éléments d'une méditation avancée, et plus contraignante. Ailleurs, dans *La Madeleine à la veilleuse*, la médiation du miroir disparaîtra, comme si le chemin vers la perfection d'une union était parcouru. C'est alors l'œil qui fait miroir, et dans lequel s'allume l'étincelle du divin. Une symbolique est en œuvre, dont les Évangiles sont l'une des sources (nous contemplons Dieu ici-bas « confusément, comme dans un miroir », disait saint Paul). Peut-être faut-il aussi se souvenir de la fonction du miroir dans l'*Iconologie* de Cesare Ripa, qui en fait l'instrument de la connaissance de soi, dans un présent déterminé par le passé et tourné vers l'avenir. Mais ce contexte symbolique est loin d'épuiser la richesse d'une invention que La Tour semble avoir chargée de sa propre méditation. AR

89

Nancy

La transformation de Nancy est la grande affaire du règne de Charles III, duc* de Lorraine*. Il s'agit d'abord de moderniser les fortifications de la Ville-Vieille, dégageant ainsi des espaces où seront aménagés les jardins du palais ducal, et la place de la Carrière. Simultanément est juxtaposée à la ville ancienne la nouvelle ville, mise en chantier à partir de 1588, et figurée en 1611 dans son aspect définitif sur le plan de La Ruelle. Imaginée par des architectes français et italiens, elle adopte un plan géométrique qui enveloppe dans le polygone des fortifications un espace strictement quadrillé.

Nancy, qui a doublé sa superficie, compte alors plus de 10 000 habitants. Saint-Epvre était, dans la Ville-vieille, la paroisse des Callot*, tandis que La Tour fréquentera plus tard Saint-Sébastien, dans la Ville-Neuve.

La Contre*-Réforme encourage la fondation de couvents urbains, et l'on compte avant 1633 seize nouveaux établissements, favorisés par de puissants commanditaires. Claude Deruet* travaille pour les minimes, les bénédictins et, avec l'aide de Claude Gellée*, chez les carmes. Jean Leclerc* est sollicité pour le collège des jésuites, achevé en 1616. Jacques Callot grave pour la Congrégation Notre-Dame, à laquelle il appartient. Le grand chantier ouvert par cette métamorphose urbaine attirera dans la ville un nombre considérable d'artisans, séduits par les franchises octroyées par le duc.

À la cour, les fêtes succèdent aux réceptions, les mariages princiers aux grandioses funérailles, les ballets et les carrousels (*Combat à la barrière*, 1627) aux entrées triomphales. Nancy déploie ses fastes pour d'illustres étrangers, le roi Henri IV, l'infante d'Espagne Isabelle Eugénie, ou le duc de Mantoue.

Entre les provinces septentrionales et l'Italie, la capitale lorraine est un relais, pour les princes comme pour leurs artistes. Mais, capitale brillante d'un État indépendant situé entre la France et l'Empire, elle va aussi devenir sous le règne de Charles IV terre d'asile des ennemis de Richelieu. Elle paiera cette imprudence de sa chute, en 1633. AR

À gauche :
La Madeleine dite *aux deux flammes* ou *Wrightsman* (détail).
New York, Metropolitan Museum of Art.

Jacques Callot, *Le Parterre du palais de Nancy*, 1625. Eau-forte. Paris, Bibliothèque nationale de France.

■ NOUVEAU-NÉ

Une jeune femme tient dans ses bras un nouveau-né emmailloté, tandis qu'une autre, dont le double menton suffit à suggérer l'âge avancé, cache de la main droite la flamme d'une bougie*. Par un effet très recherché, la lumière est voilée, non pour préserver l'enfant d'un éclairage trop violent, mais pour dissimuler la source lumineuse au regard du spectateur. Les lueurs qui émanent de la flamme unique font flamboyer le rouge du vêtement de la mère, dessinent de manière sculpturale la main protectrice et illuminent uniformément l'enfant. Sur ce dernier, on ne peut que citer les quelques lignes écrites par Taine en 1863 : « le front sans cheveux, les yeux sans cils, la lèvre inférieure rabaissée, le nez et la bouche ouverts, simples trous pour respirer l'air, la peau unie, luisante, que l'air a touchée encore à peine, tout engloutissement primitif de la vie végétative ». Dans cette « nuit* » très sombre, les formes simplifiées et rendues presque immatérielles à force de stylisation géométrique sont découpées par ce jeu de clair-obscur qui, à lui seul, sacralise la scène. Car rien ne semble indiquer que ces trois personnages correspondent à la représentation de sainte Anne, la Vierge et l'enfant. Aucun élément du décor, aucune auréole ne désignent leur caractère sacré. De plus, l'iconographie traditionnelle fait intervenir sainte Anne plus tardivement dans la vie de Jésus. Au moment de la naissance du Christ, seul Joseph se trouve aux côtés de Marie. La Tour ne se contente-t-il pas de traduire cet événement primitif qu'est la naissance, qui incite les deux protagonistes à méditer sur le mystère de la vie, sur le destin de l'enfant et, dans un sens plus général, sur la destinée humaine ? L'immobilisme des volumes magnifiés

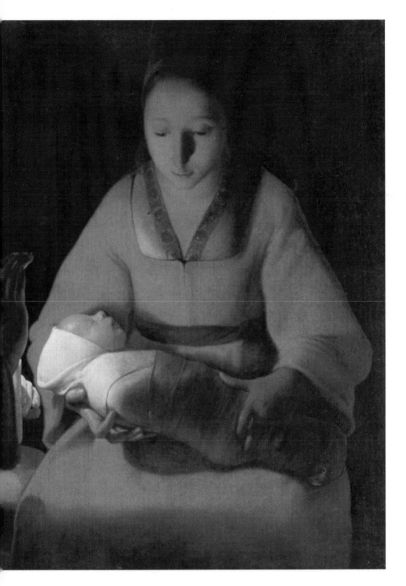

Le Nouveau-Né

1645-1648
H/t 76 × 91. Rennes, musée
des Beaux-Arts.

par la lumière*, l'épuration formelle et la sobriété du traitement par grands aplats lisses suggèrent une datation autour de 1645-1648, à un moment où La Tour maîtrise parfaitement ses moyens pour charger une scène intime (de format modeste) d'une valeur universelle. *Le Nouveau-Né* est à l'origine de la reconstruction en 1915 de l'œuvre de La Tour avec *L'Ange* apparaissant à saint Joseph de Nantes. BS

■ Nuit

Alors que les découvertes de l'optique repoussent les limites des ténèbres au profit des « lumières » de la raison, la nuit demeure encore, au XVIIe siècle, le lieu emblématique de la méditation, silence et obscurité produisant une lucidité, quelle que soit sa nature : nuit d'enthousiasme en novembre 1619, où Descartes, au cours de trois songes, a la révélation de sa vocation ; nuit de novembre 1654 où Pascal vit une expérience mystique qu'il consigne dans son *Mémorial*. Ces exemples témoignent de la dynamique et des nostalgies de décennies qui marquent l'aube de temps nouveaux. La nuit ne s'entend donc que dans le couple indissociable qui l'oppose et à la fois l'unit à la lumière*, dans toutes ses acceptions et ses formes, matérielles ou métaphoriques.

Ce couple a existé pour les peintres comme une formule artistique féconde, avant qu'on ne le figeât en le mesurant trop exclusivement au caravagisme*. La tradition des nocturnes qui feront vers 1616 en Italie la réputation de Gerrit Van Honthorst (dit Gherardo delle Notti), la vogue des « nuits » en Lorraine, dont Leclerc*, élève de Saraceni, est avant 1633 le meilleur représentant, l'œuvre de Ter Brugghen ou les souvenirs de Goltzius n'épuisent pas l'originalité des « nuits » de La Tour. Mais celles-ci ne peuvent être regardées indépendamment d'une culture lorraine où l'influence de la mystique espagnole précède celle des grands traités de l'École française. Les images de La Tour et les textes des sermons prononcés par André de L'Auge devant la cour, autour de 1620, se font

écho : le cordelier dédie à la duchesse de Lorraine « la nuict infortunée de sainct Pierre » en 1624, l'année même où Henri II achète à La Tour une « Image saint Pierre ». Symbole négatif de la mort, et lieu où s'éprouve la vanité des choses, la nuit devient aussi le lieu de l'épreuve traversée, au terme de laquelle point une sagesse. AR

Gerrit Van Honthorst, *Le Christ devant le grand prêtre*, v. 1617. H/t 272 × 183. Londres, National Gallery.

■ Paiement des taxes (Le)

La toile, conservée à la galerie des Beaux-Arts de Lviv, où elle a d'abord figuré sous le nom de Van Honthorst, proviendrait de l'épouse polonaise du général Charles Eugène Lambesc (1754-1825), descendant d'une vieille famille lorraine. Elle n'a été attribuée à La Tour qu'en 1970, ce que confirma en 1974 la restauration de l'œuvre : la signature et une date*, illisible, y étaient inscrites. Le sujet de la

Saint Joseph charpentier (détail). Paris, musée du Louvre.

composition, religieux ou profane, n'a jamais été identifié avec certitude. *Le Paiement des taxes*, dit aussi *L'Argent versé*, ou *Le Règlement des comptes*, n'est pas sans rappeler *La Vocation de saint Matthieu* du Caravage* ou celle de Ter Brugghen. Mais à la différence de ces œuvres, il s'agit bien d'une « nuit* », éclairée par une chandelle*, sommairement représentée si on la compare aux belles flammes précisément décrites par La Tour dans ses tableaux nocturnes. La vue en rise les œuvres diurnes. Il suggère de la situer avant *Le Tricheur* à l'as de carreau*, lui-même peint sur une couche plus sombre, procédé qui semble marquer une évolution dans la manière de travailler de La Tour. Ainsi se confirme la précocité de l'œuvre, où l'élégant jeune homme bouclé du premier plan, le visage de profil derrière le vieil homme, portent la marque de Bellange*, et peut-être celle d'une formation encore proche. AR

Le Paiement des taxes ou *L'Argent versé*. H/t 99 × 152. Lviv, musée des Beaux-Arts.

plongée, la multiplication d'obliques parfois contradictoires créent un sentiment de désordre et d'angoisse, bien différent de la solidité et de la sérénité habituelles des mises en place des personnages de l'œuvre.

La date présumée du tableau dans le catalogue de La Tour a beaucoup varié : tantôt première œuvre du peintre, tantôt premier nocturne, ou peinture de la dernière décennie. L'examen en laboratoire* révèle que la composition est peinte sur une toile dont la préparation est comparable à celle qui caracté-

■ Paris

À partir de 1640, les collections de peintures se multiplient à Paris, aussi bien chez les grands officiers de la couronne que dans la bonne bourgeoisie. Or, à cette date, le nom de La Tour est presque aussi fréquent que celui de Poussin : un *Reniement* de saint Pierre* chez le financier Claude de Bullion, un *Saint Jérôme* chez Richelieu, et chez le roi un « Saint Sébastien dans une nuit ». Mais comment le peintre de Lunéville* pouvait-il être aussi connu à Paris ? Depuis quelques années, les découvertes d'archives ont multiplié les traces de ses séjours parisiens. On note un curieux paiement, d'une somme fort rondelette, pour sa venue et son séjour de six semaines dans la capitale, en mai 1639. Un an plus tard, on apprend que La Tour, peintre ordinaire du roi, possède un logement au Louvre et que ses affaires sont suffisamment importantes à Paris pour qu'il s'y fasse représenter par un facteur.

Faut-il dès lors envisager une carrière parisienne de La Tour ? Est-ce bien lui qui est cité le 12 décembre 1613, lorsque Jean Lhomme est reçu maître peintre au faubourg Saint-Honoré ? Le titre de peintre du roi, obtenu semble-t-il en 1639, permettait à La Tour d'échapper à la surveillance tatillonne de la corporation : songe-t-il à s'installer dans la capitale alors que ses nuits* y rencontrent un vif succès et que, la domination de Vouet faiblissant, on fait appel à des peintres étrangers, tel Poussin ? Ou bien, après avoir perdu la protection du gouverneur français de Lunéville en 1638, ses titres royaux sont-ils simplement un moyen de protéger sa personne et ses biens dans une Lorraine* ravagée par les troupes françaises ? Rappelons que les cinq tableaux de La Tour du collectionneur* parisien Jean-Baptiste de Bretagne furent sans doute achetés… en Lorraine. OB

Philippe de Champaigne, *Richelieu*, v. 1640. H/t 260 × 179. Londres, National Gallery.

Nicolas Lagneau, *Tête d'homme*, v. 1600-1620. Crayon. Paris, École des beaux-arts.

Mention de La Tour comme « peintre fameux ». Acte de baptême de Claude César, le 19 décembre 1644. Lunéville, Archives municipales.

■ **Pays-Bas.**
Voir Flandres

■ **Personnalité**
Très nombreux sont, dans les archives, les documents qui nomment La Tour. Ils nous informent sur sa famille, sa vie domestique, ses biens, ses amis, ses activités. Mais rarement sur son œuvre. Ces informations restent extérieures et ne nous permettent pas de franchir le seuil de sa demeure, encore moins de son atelier. Nous ignorons le visage de l'homme, ses sentiments et ses idées. Seules quelques lignes de sa main, d'une écriture variable selon les dates (1618, 1624 et 1636), et peut-être selon les destinataires, suggèrent une solide éducation. Ces documents autorisent pourtant l'esquisse d'un portrait.

L'homme évolue dans un monde où, de l'enfance à la mort, les mêmes familles, les mêmes alliés l'accompagnent, à Lunéville* comme à Vic*-sur-Seille. Fidélité donc, et sans doute précoce fiabilité, attestée par des responsabilités familiales tôt assumées. Une exacte conscience de soi, de la noblesse de son art, justification naturelle à ses yeux de son mariage avec Diane Le Nerf, de famille noble, s'exprime dans la demande d'exemption adressée au duc* de Lorraine en 1620. Le couple manifeste une extrême sociabilité, vis-à-vis des notables comme des ruraux. Cependant l'ambition du peintre ne fait pas de doute, ni son habileté à se jouer des périls qui rôdent en Lorraine* depuis la mort du duc Henri. Il fallait savoir se protéger et ruser pour ne pas perdre, en de pareils temps, ses meilleurs atouts, une présence séduisante et un atelier convaincant. Il fallait faire sa cour avec persévérance et intelligence, pour obtenir le titre de peintre et même de commensal du roi.

La Tour ne renonça jamais aux avantages acquis, les revendiquant au besoin avec morgue et brutalité. « Seigneur du lieu » de Lunéville, comme s'en plaignent ses concitoyens les plus pauvres, il apparaît aussi comme un maître généreux dans une maisonnée où les domestiques font partie de la famille, où deux filles en âge d'être mariées restent vouées à leur père, et où le seul de ses apprentis capable de peindre, Étienne*, ne quittera pas l'univers paternel. Univers profondément original, donc défensif, et solitaire, comme tout grand art. AR

■ Redécouverte.

Voir Fortune

■ Reniement de saint Pierre (Le)

Cette toile tient dans la chronologie* de l'œuvre de La Tour une place particulière : elle est, avec Les Larmes* de saint Pierre, le seul tableau signé et daté de l'artiste (1650). Pourtant, elle n'a pas toujours convaincu la critique. Certains l'ont même retirée de l'œuvre de La Tour, la considérant comme une copie ou, au mieux, comme de la main d'Étienne*, le fils de l'artiste. Peut-être La Tour a-t-il repris une composition de jeunesse, ainsi qu'il semble l'avoir volontiers pratiqué à la fin de sa vie (Le Souffleur* à la lampe en est un exemple). Ne peut-on pas plutôt y reconnaître une collaboration entre le père et le fils ? Car La Tour pouvait-il laisser à l'entière charge d'Étienne l'exécution d'une œuvre qui semble correspondre à celle que la ville de Lunéville* offrit en 1651 au gouverneur de Lorraine comme cadeau de nouvel an ? Pourtant, la composition tirée du répertoire caravagesque* des joueurs*, des corps de garde et des scènes

Le Reniement de saint Pierre (ensemble et détail), 1650. H/t 120 × 160. Nantes, musée des Beaux-Arts.

ténébristes à la Honthorst et à la Seghers, apparaît démodée à une époque où la peinture claire des Vouet, La Hyre et Le Sueur a définitivement conquis la capitale. La Tour s'éloigne ici des compositions sobres et maîtrisées qui ont constitué sa typologie habituelle pour adopter le principe presque maniériste* de la multiplication des histoires et de la diversité des sources de lumière* : la scène principale, la servante reconnaissant Pierre révélé à la lueur de la bougie*, est décentrée sur la gauche, alors que le corps de garde tient l'espace principal éclairé par une source que dissimule un soldat de dos. L'exécution sommaire présente même certaines maladresses, tel le bras gauche tordu sur la table ou le visage ingrat presque cireux du soldat au béret rouge. BS

■ Rixe
des musiciens (La)

Un joueur de vielle (vrai ou faux aveugle ?), armé d'un couteau, se bat contre un flûtiste qui utilise son instrument pour se défendre tout en pressant un citron en direction des yeux de son adversaire. Cette scène, d'une grande violence, est commentée par la compagne du vielleur*, hébétée et suppliante, et

par deux musiciens, un joueur de cornemuse et un violoniste. Ce dernier, dont la gaieté peut sembler déplacée, interpelle le spectateur du regard. La scène suscite plusieurs interprétations : description de la misère humaine, morale et physique, qui conduit à la violence, au mensonge et à la cruauté, ou bien illustration d'un proverbe, *Mendicus mendico invidet*, « le mendiant envie le mendiant » (on trouve toujours plus malheureux qui vous envie). La rixe s'inscrit à la fois dans la tradition brueghelienne et dans le contexte lorrain (gravures sur ce thème de Bellange* et de Callot*). Mais La Tour en donne une version très originale, revue à la manière caravgesque* : les personnages présentés à mi-corps sont disposés en frise compacte. Ils sont baignés par une lumière* qui fouille la moindre ride, l'ongle sale, la mèche grise, tout en modulant subtilement le passage de l'ombre à la clarté dans la partie droite. Ce tableau appartient au début de la carrière de La Tour – entre 1625 et 1630 –, à un moment où la précision presque graphique des coups de pinceau qui soulignent les traits des visages et des mains s'allie au traitement par empâtements des tissus. BS

La Rixe des musiciens, 1625-1630. H/t 94,4 × 141,2. Malibu, J. Paul Getty Museum.

■ ROME : PRÉSENCE DE LA TOUR ?

Capitale de la nouvelle chrétienté issue de la Contre*-Réforme, Rome est, en ce début de XVIIᵉ siècle, le plus grand centre artistique d'Europe*, avec ce que cela suppose de rencontres et de fortunes, de cosmopolitisme et de vie facile.

Aux yeux d'un peintre débutant, la Ville éternelle possède mille beautés. Elle est un musée vivant où à l'héritage de l'antique, au prestige de Raphaël et de Michel-Ange, s'ajou-

tent la réforme des Carrache et la révolution du Caravage*. Les commandes pour les grands chantiers pontificaux, les achats de tableaux par les collectionneurs y attirent, de toute l'Europe, de très nombreux peintres.

Simon Vouet y arrive en 1613 ; il y restera jusqu'en 1627, ayant obtenu une pension royale, une commande pour Saint-Pierre et la direction de l'Académie. En 1626, il y a pour acolytes Nicolas Poussin, Valentin, et Jean Lhomme, une connaissance de La Tour (voir Paris). Venant de Lorraine*, Callot* s'y installe en 1608 ; Deruet* y séjourne vers 1613, et Pierre Georges, né à Vic*-sur-Seille dans les mêmes années que La Tour, y réside vers 1614… Tous les peintres lorrains de ces années, comme les caravagesques nordiques, sont passés par Rome : alors pourquoi pas La Tour ? D'autant plus que l'étranger de passage est sûr d'y être bien accueilli par ses compatriotes, organisés en une véritable « nation » autour d'une église (Saint-Nicolas-des-Lorrains à partir de 1622) ou d'une corporation (les cuisiniers). En 1627, on évalue à 6 000 le nombre de Lorrains établis dans la capitale, soit un tiers de la population de Nancy*. Pas étonnant que le tout jeune Callot, parti en cachette à Rome, y ait été reconnu dès son arrivée par des marchands nancéiens. Pour La Tour, le pèlerinage à Rome ne constituait pas un grand risque. OB

Israël Silvestre,
Vue de la porte du peuple à Rome.
Plume et lavis brun.
Paris, musée du Louvre.

■ **Saint Alexis.** Voir Découverte du corps de saint Alexis

■ **Saint François.** Voir Extase de saint François

■ **Saint Jean-Baptiste**
Le tableau a été mis en vente à Monaco en 1994 et préempté par les Musées de France au profit du Département de la Moselle. Le sujet est sans précédent ni référence chez La Tour, mais les images du jeune prophète abondent dans la peinture caravagesque*. L'œuvre est pour le moins déconcertante. Il s'agit bien d'une « nuit* », baignée par une « lumière claire brune » exaltée par le père de L'Auge, cordelier de Nancy*, sans qu'aucun de ces rouges vivants dont La Tour avait le secret ne vienne animer la scène. Ni veilleuse ni chandelle, si propices aux effets plastiques, auprès de l'adolescent,

assis près d'un plan horizontal, peut-être une table, élément de décor fréquent chez La Tour. Au fond, les délimitations de l'ombre et de la lumière* suggèrent un angle saillant, inhabituel dans les fonds des autres œuvres. Il semble pousser vers le premier plan deux livres, ou plutôt une pierre épaufrée.

La posture du jeune saint semble anatomiquement difficile : la position de la jambe droite et l'attache de la jambe gauche sont peu compatibles avec l'inclinaison du buste, les hanches étant, peut-être à dessein, dissimulées sous les étoffes. Le visage éteint en dépit des paupières entrouvertes surprend, lorsqu'on sait l'importance du regard chez La Tour. La main gauche crispée sur la hampe de la croix étonne, moins pourtant que la clavicule droite, déformée par la répartition des ombres et des lumières. L'analyse en laboratoire* semble bien confirmer que la toile a pu être préparée et peinte dans l'atelier de La Tour, à une date tardive. Mais la radiographie ne permet pas d'y reconnaître les caractéristiques des images obtenues aux rayons X à partir des autres nocturnes du peintre. La composition pourrait être un point de départ plutôt qu'un point d'aboutissement. Ou, plus simplement, une œuvre inachevée ? AR

Saint Jean-Baptiste dans le désert, 1645-1650. H/t 81 × 101. Conseil Général de la Moselle.

■ SAINT JÉRÔME

Deux manuscrits de la bibliothèque municipale de Grenoble énumèrent les tableaux qui décoraient encore en 1701 le chœur, les chapelles et la sacristie de l'église de l'abbaye Saint-Antoine-en-Dauphiné : de nombreuses copies, et « quelques originaux de Montcalve peintre Lombard, et de la Tour Lorrain Eleve de Guide ».

Le musée de Grenoble possède depuis 1799 un *Saint Jérôme pénitent* (ill. p. 19), donné par l'administration centrale du département de l'Isère, et qui pourrait être l'un de ces originaux. La toile fut attribuée à La Tour par Voss en 1931, en même temps que la version de Stockholm.

Le peintre dut être sensible à cette grande figure de l'Antiquité chrétienne, traducteur du *Livre de Job* et des *Psaumes* chers à Pierre Fourier, aussi passionné dans ses sentiments que dans ses travaux et dans la défense de son idéal monastique. Quatre compositions originales dépeignent le saint érudit, brillant épistolier et impitoyable ascète. L'exemplaire de Hampton Court Palace et celui de Nancy le montrent en buste et lisant. Les compositions de Grenoble et de Stockholm, sensiblement différentes, le représentent en pied, et insistent sur la violence de la pénitence. L'étude des images radiographiques des deux œuvres permet de démontrer l'antériorité de la version grenobloise. Jérôme occupe toute la hauteur de la toile, dans un décor peu définissable et pierreux, humanisé par les pages précieuses du livre ouvert devant la tête de mort. Le corps mortifié reste puissamment charpenté et musclé, en dépit des atteintes de l'âge. Le pinceau les décrit avec réalisme, à la manière précise et virtuose qui était celle des *Apôtres** ou des *Vielleurs**. Dans l'exemplaire de Stockholm, le décor est plus structuré, le corps moins décrépit, les étoffes, notamment le linge raffiné à liseré doré qui ceint les hanches, gardent le souvenir d'un luxe dont témoigne aussi le superbe chapeau cardinalice. Est-ce par égard pour Richelieu, à qui La Tour offrit un *Saint Jérôme*, sans que nous sachions de quel exemplaire le peintre se dessaisit pour faire sa cour ? L'exécution de l'œuvre dut précéder de peu celle du *Saint** Sébastien, offert à Louis XIII avant 1639. Elle témoigne à cette date du plein accomplissement de l'art de La Tour, thèmes diurnes et nocturnes confondus. AR

Saint Jérôme pénitent

H/t 153 × 106. Stockholm, Nationalmuseum.

■ Saint Joseph charpentier

L'œuvre, qui aurait été découverte en Angleterre vers 1938, fut donnée en 1648 au Louvre par Percy Moore Turner en souvenir de Paul Jamot. Elle est l'une des plus populaires et des plus parfaites de La Tour. Sa radiographie montre qu'elle fit l'objet d'hésitations dans la détermination de son sujet : sous le visage de l'enfant apparaît l'ovale délicat d'un visage plus mûr, plus féminin aussi, qui suggère une modification de l'attitude, sinon un changement de sujet. Le thème de Joseph charpentier est mentionné à plusieurs reprises dans les inventaires lorrains, où dès 1635 est signalé « ung grand tableau représentant saint Joseph, allumé du petit Jésus ». Une autre toile, correspondant à un détail près à la composition du peintre, aurait été commandée par la veuve d'André des Porcelets de Maillane, et offerte au couvent des carmes de Metz, d'où elle serait passée, après la Révolution française, en Angleterre.

La Contre*-Réforme avait porté au père nourricier de Jésus une attention renouvelée, et les peintres représentaient volontiers dans l'atelier du charpentier l'enfant Jésus, attentif au travail paternel, participant même à l'assemblage en forme de croix des poutres de bois, préfiguratrices de la Passion. Comme à son habitude, La Tour ne cède pas à la facilité de cette représentation, et pousse plus loin l'exercice spirituel. Il montre l'homme puissant et courbé, comme vu du dessous, dans le mouvement ascendant d'un effort qui nous incorpore à la scène. La rusticité de son costume n'exclut pas la liberté avec lequel il est porté, manche retroussée sur le bras musclé et dénudé, conscient de sa force. Celle-ci se concentre dans le regard aigu, sous le front dont les rides accrochent la lumière* de la flamme qui lie le vieillard à l'enfant, comme un secret partagé. Face à la plénitude de cette vie active, Jésus est présence rêveuse et grâce toute spirituelle. Son visage irradie plus encore que la flamme de la chandelle, qu'il protège délicatement derrière l'écran de ses doigts serrés. AR

■ Saint Pierre.

Voir Reniement de saint Pierre

Saint Joseph charpentier. H/t 137 × 101. Paris, musée du Louvre.

À droite : Hendrick Ter Brugghen, *Saint Sébastien soigné par Irène,* 1625. Oberlin, Allen Memorial Art Museum.

■ SAINT SÉBASTIEN
Les flèches de la peste

Sébastien, soigné par Irène après son premier supplice, était invoqué durant les épidémies de peste, et celles-ci frappèrent durement la Lorraine* à partir de 1631. Il inspira à La Tour deux compositions, l'une en largeur, dite « à la lanterne », dont nous ne connaissons que les nombreuses copies, signe de la grande popularité du tableau ; l'autre en hauteur, dite « à la torche », dont il existe deux variantes.

La composition en largeur place la lanterne, tenue par la servante en larmes, au cœur du tableau. Le corps nu du jeune saint, ployé en triangle, en occupe le premier plan. Irène retire avec crainte la flèche que Sébastien, conscient, paraît désigner du geste. L'original du tableau dut avoir beaucoup de grâce, une grâce encore mondaine. En regard, le *Saint Sébastien* en hauteur du musée du Louvre a

un accent tragique. Découvert dans la petite église de Bois-Anzeray (Eure) en 1945, le tableau entra définitivement au Louvre en 1981. C'est l'une des plus belles inventions du peintre. Le corps sans connaissance du très jeune homme occupe, au premier plan, toute la largeur de la scène. La flèche, comme le fait remarquer Paulette Choné, a choisi « la cible la plus interne qui soit, et réellement la plus ésotérique : le "cerveau abdominal", le centre de la plus grande intensité émotive, que nous nommons le "plexus solaire" ». Selon l'oblique qu'elle suggère monte la diagonale des sentiments : ceux, retenus, d'Irène, le front inondé de lumière* ; ceux des deux orantes aux longues mains romanes, comme statufiées sous leurs voiles ; ceux enfin, librement exprimés, de la servante, la plus haute dans l'image.

L'examen en laboratoire* apporte de remarquables informations sur la genèse de cette image. De nombreuses hésitations sont décelables sur la radiographie, notamment dans l'élaboration de la flamme, la seule de ce type avec celle de *La Découverte* * du corps de saint Alexis. Toutes les solutions retenues par La Tour seront intégrées dans la version de Berlin, qui reprend la composition à son stade final avec un plus grand schématisme, et une autre gamme chromatique. La version du Louvre peut donc sembler antérieure à celle de Berlin, d'une trop haute qualité pour être reléguée au rang de copie. AR

Saint Thomas.
H/t 71 × 56.
Paris, musée
du Louvre.

■ Saint Thomas

Saint Thomas (voir Admiration) s'inscrit dans la lignée des *Apôtres** d'Albi : même cadrage à mi-corps, dimensions presque identiques, même vision frustre d'un des compagnons du Christ. Mais la souplesse de l'écriture et la subtilité de la gamme colorée (ton froid de la lance, alliance de jaune et de bleu du vêtement) suggèrent une datation plus tardive, à la toute fin des années 1620. Le souci réaliste de détailler chaque ride, chaque veine, parfois gonflée, du crâne légèrement dégarni, chaque bouton du vêtement délibérément négligé se conjugue avec une stylisation extrême de l'éclairage presque irréel qui sculpte l'espace géométriquement.

La Tour atteint ici la maîtrise parfaite des passages vigoureusement tranchés entre l'ombre et la lumière*, à la croisée desquelles apparaît la signature, *Georgius de la Tour*, en une merveilleuse calligraphie linéaire. L'artiste propose une image complexe de l'apôtre, de son destin qui l'a mené de l'incrédulité au doute, puis à la certitude. Celui qui n'a pas cru en la Résurrection, qui a eu besoin de toucher la plaie du Christ, part en Asie évangéliser les peuplades lointaines. Le regard du saint pensif et vidé d'éclat est habité par cette quête, proche de celle qui anime le *Saint* Jérôme*. Il tient dans la main droite le livre tant de fois ouvert et médité, et de l'autre la lance par laquelle il trouvera la mort en Inde. Cette pointe, qui rappelle l'arme qui a blessé le flanc de Jésus, est mise en évidence par une composition savante fondée sur des obliques et fend le vide de son tranchant. BS

108

*Le Souffleur
à la lampe,*
v. 1640,
H/t 61 × 51.
Dijon, musée
des Beaux-Arts.

■ Souffleur à la lampe (Le)

Ce thème du jeune souffleur à la lampe, qui découle des créations des Bassano et du Greco (en particulier du *Garçon qui allume une bougie*, appartenant au début du XVIIᵉ siècle à la collection Farnèse à Rome), fut traité au XVIIᵉ siècle par les caravagesques* d'Utrecht. Il ne pouvait que séduire La Tour. Il lui permet d'associer ses recherches sur la lumière* et sur l'éclairage indirect à son goût de l'enfance (l'artiste eut lui-même dix enfants).

Le moment retenu ici est tout entier centré sur ce jeune garçon qui souffle sur une torche incandescente afin d'y allumer sa lampe à huile. La Tour sait transmettre ce sentiment merveilleux que suggère l'enfance, de pureté naïve et de concentration sérieuse. Mais l'artiste n'en oublie pas pour autant sa quête de vérité : ce jeune apprenti, comme semble l'indiquer le tablier en cuir qu'il porte sur son vêtement, est doté d'un visage assez ingrat, d'un nez retroussé, de cheveux rares et plats.

Ces petits formats, apparentés à la scène de genre*, sont destinés à une clientèle privée : les inventaires après décès en citent en Lorraine*, les estampes en reproduisent et, au sein même de l'œuvre de La Tour, d'autres interprétations nous sont connues par des copies.

Le souffleur est à situer autour des années 1640 et à rapprocher du *Saint* Joseph charpentier* : le clair-obscur immobilise le geste, découpe les volumes et donne à la scène sa valeur sacrée ou intemporelle. Par ce biais, l'artiste traite thèmes religieux et profanes avec la même intériorité et la même intensité. BS

Pages suivantes :
*Le Tricheur
à l'as de carreau*
(détails).
Paris, musée
du Louvre.

*Le Tricheur
à l'as de carreau.*
H/t 106 × 146.
Paris, musée
du Louvre.

■ Tricheur

Comme *La Diseuse* de bonne aventure*, dont une des versions du *Tricheur* est sans doute le pendant, le tableau évoque les dangers du jeu*, des femmes et du vin, et illustre très probablement la parabole de l'enfant prodigue.

Il existe deux versions du sujet, entièrement autographes, l'une au Louvre et l'autre à Fort Worth (ill. p. 71). À première vue, les deux toiles semblent identiques ; mais de multiples détails les différencient, depuis la fameuse carte aux pièces de monnaie. Dans la version de Fort Worth, les personnages sont plus (trop ?) rapprochés ; dans l'exemplaire du Louvre, le coloris est plus retenu, et La Tour renonce aux effets de brillants satinés d'un rose saumon ou à l'éclat d'une robe rouge sur une chemise de lin blanc. En fait, leurs styles divergent. Dans le vêtement du tricheur, les aiguillettes noires, au lieu de former des nœuds délicats mais indécis, structurent plus fermement la composition, par la répétition de leurs bandes verticales. À l'élégance encore un peu extérieure et virtuose du tableau de Fort Worth, qui rappellerait les œuvres de jeunesse, s'opposerait donc l'unité plastique plus ferme, plus réfléchie

et plus dense de la version du Louvre, dernière étape avant la magistrale sobriété des « nuits* ». Mais selon les analyses scientifiques, c'est la toile du Louvre qui aurait servi de modèle pour la seconde version, dans le dessin des personnages comme dans le coloris : ainsi, sous le turban gris de la servante a été retrouvée la couleur jaune d'or.

Quoi qu'il en soit, les deux versions montrent La Tour au sommet de son art dans les jeux diurnes. Une composition calme mais d'une instantanéité mobile, vivifiée par un intense jeu de regards et par un coloris parfois poussé au plus vif. OB

■ VIC-SUR-SEILLE
La Tour chez lui

Modeste au regard de Nancy*, capitale du duché de Lorraine*, ou de Metz, cité épiscopale gouvernée par la France depuis 1552, Vic-sur-Seille n'en est pas moins, en 1593, à la naissance de Georges de La Tour, une petite ville prospère et ouverte, commandant la route d'Alsace. Organisée derrière ses remparts autour de son château, de ses églises et de ses couvents, au creux d'un paysage généreux et fertile, elle tire une partie de ses ressources des salines voisines. Siège du bailliage de l'évêché de Metz, où l'on bat encore monnaie, sa population est en grande partie constituée par la magistrature et les secrétaires du bailliage, monde de robins aisés, cultivés et cosmopolites, voisinant avec une société religieuse dont l'élite contribue à la qualité et à la diversité de la vie intellectuelle.

Jean de La Tour et Sybille Melian, parents de Georges, appartiennent à la classe des négociants et artisans vicois. Gens aisés en l'occurrence, au sein d'une société solidaire, solidement ancrée aux personnalités locales. Alphonse de Rambervillers, lieutenant général du bailliage de 1593 à 1633, magistrat mais aussi poète et peintre, curieux et collectionneur*, proche de Jacques Callot*, leur est un appui, puis un allié, enfin, pour le tout jeune maître, un parent par alliance. Dans la petite capitale épiscopale, les arts vivent. Les peintres Barthélemy Brun, natif de Cologne, Jean Blayer de Bariscord ou Jean Saint Paul, venus de Nancy*, comme l'orfèvre Marin Vallier, ne font que passer à Vic ou y prendre alliance. Le sculpteur Fiacre Fiacre y travaille durablement, et collabore avec le peintre Claude Dogoz, originaire de Suisse, dont Georges de La Tour a peut-être un temps fréquenté l'atelier. AR

Israël Silvestre, *Vue de la ville de Vic au XVIIᵉ siècle.* Aquarelle. Paris, musée du Louvre.

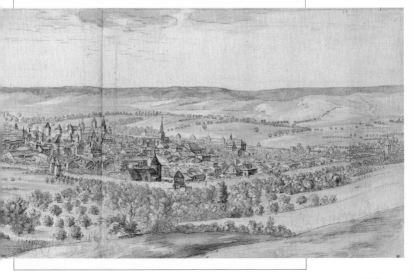

La Tour a multiplié les versions sur ce thème : les cinq tableaux de sa main connus à ce jour témoignent d'une production certainement plus importante. Au XVIIe siècle, les sujets puisés dans la vie quotidienne trouvent en Lorraine* de nombreux amateurs parmi les classes les plus élevées de la société. Bellange*, Callot* (dans la série gravée de 1622) multiplient les variantes illustrant les petits métiers. Cela répond certes à un marché, mais, dans cette séduction particulière à l'égard du musicien, La Tour ne cherche-t-il pas à saisir une image universelle de la condition humaine (pendant profane des *Madeleine**), qui aboutit à son expression la plus forte avec *Le Vielleur* de Nantes (autour de 1628-1630, ill. p. 66) ? Dans cette quête, il n'a pas besoin de varier les types humains. Ainsi, les vielleurs de La Tour découlent tous du même type physique : ce sont des vieillards barbus, marqués par la vie, et leur tenue vestimentaire n'est pas dépourvue d'une certaine élégance (col en dentelle). Le joueur de vielle se situe au plus bas de la hiérarchie des musiciens au XVIIe siècle, mais il n'en conserve pas moins une grande dignité dénuée de tout caractère bur-

Jacques Bellange,
Le Vielleur aveugle.
Eau-forte.
Paris, Bibliothèque
nationale de France.

lesque. Par tradition, il est aveugle, évocation possible des devins et des sages antiques. Il est difficile d'établir une chronologie* entre les différentes figures de vielleurs. Celui de Bergues s'apparente aux créations des années 1620, par la construction du fond et le métier incisif qui rappellent les *Apôtres** d'Albi. Cette figure grandeur nature accompagnée d'un chien est malheureusement très usée, ce qui a nui à son appréciation. *Le Vielleur* de Bruxelles (ill. p. 75) et celui du musée du Prado à Madrid (ill. p. 25) constituent deux fragments de compositions de format plus important : le premier (peut-être une copie) offrait une composition en largeur, comme l'indique la radiographie ; le second a été coupé dans sa partie basse. De même que la version de Remiremont, ce dernier se rapproche du chef-d'œuvre de la série qu'est *Le Vielleur* de Nantes. L'« ignoble et effroyable vérité » qui frappait Stendhal réside dans l'expression poignante du protagoniste que son chant transforme en figure grimaçante et dans la présence de la mouche, introduction de l'éphémère et du monde extérieur vivant, peinte en trompe l'œil sur l'instrument. BS

Le Vielleur à la sacoche

H/t 157 × 94. Remiremont, musée Charles-Friry.

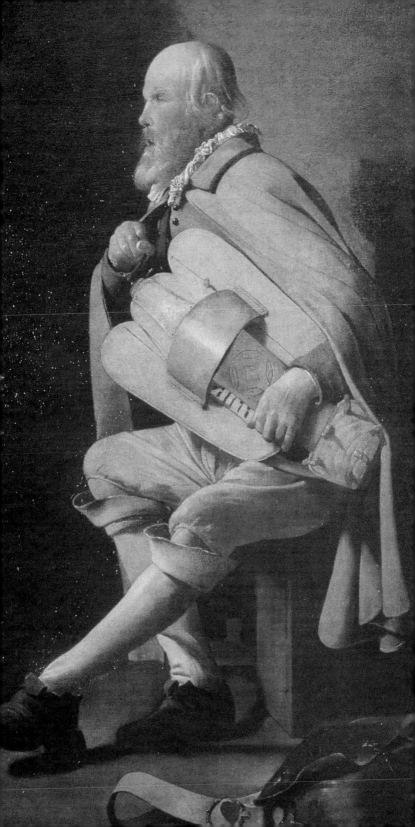

1590 Mariage à Vic-sur-Seille de Jean de La Tour, « jeune fils », et de Sybille de Cropsaux, veuve de Nicolas Bizet, boulanger.

1593 14 mars, naissance à Vic-sur-Seille de Georges de La Tour, deuxième fils de Jean et de Sybille. Vic est le siège du temporel des évêques de Metz. Les Trois-Évêchés sont depuis 1552 sous protection française.

1603 Henri IV et Marie de Médicis séjournent à Nancy.

1608 Mort du duc Charles III.

1610 Assassinat d'Henri IV. Entrée du duc Henri II à Nancy. Callot est parti à Rome entre 1608 et 1611.

1613 Deruet séjourne en Italie. Claude Gellée se rend à Rome.

1616 Diane Le Nerf est présente à Vic en février. En septembre, première mention de Georges de La Tour à Vic. Il est âgé de 26 ans, et nous ne savons rien de son apprentissage. La réapparition du jeune homme coïncide avec la mort de Jacques Bellange, qui dut profondément influencer toute une génération de jeunes peintres lorrains de l'âge de La Tour. Nous ignorons tout d'un éventuel voyage de formation en Italie, où il aurait subi l'influence de Caravage, ou dans les Flandres, ou encore à Paris, où demeurait l'un de ses oncles.

1617 2 juillet, mariage de Georges de La Tour et Diane Le Nerf, originaire de Lunéville, fille d'un riche marchand.
Le peintre Jean Leclerc est recensé à Rome chez Saraceni. Début de la guerre de Trente Ans.

1618 Décès de Jean de La Tour, père de Georges. Première quittance autographe de La Tour. Le peintre signe étrangement " La tourre ". D'autres signatures très ornées, à la même date, marquent une exceptionnelle confiance en soi.

1619 Naissance de Philippe, premier enfant du couple à Vic. Réglement de la succession de Jean de La Tour.
Retour en Lorraine de Deruet.

1620 Le duc Henri II accorde à La Tour des lettres d'exemption qui favorisent son établisse-

ment à Lunéville, en lui accordant certains des privilèges de la noblesse. Le peintre, pleinement adopté par sa belle-famille, devient bourgeois de Lunéville et prend aussitôt un apprenti.

1621 Naissance d'Étienne, le seul fils qui lui survivra et exercera le métier de peintre. Leclerc rentre d'Italie. Deruet est anobli par Henri II. Callot est de retour en Lorraine. Nicole de Lorraine, fille d'Henri II, épouse son cousin Charles de Vaudémont.

1622 À Paris, Rubens, Poussin et Champaigne travaillent pour le chantier du Luxembourg.

1623 Achat par Henri II d'un tableau de La Tour, payé 123 francs. Naissance de Claude de La Tour, l'une des deux filles qui survivra à ses parents. Ceux-ci acquièrent rue Saint-Jacques à Lunéville la maison de la mère de Diane.
Le père Fourier engage à Lunéville la réforme de la Congrégation Notre-Sauveur. Près de Vic, à Marsal, Callot épouse Catherine Küttinger.

1624 Nouvel achat du duc. Une « Image Saint Pierre », destinée aux minimes de Lunéville, est payée 150 francs à La Tour, et nous vaut une nouvelle quittance autographe du peintre.
Le duc Henri II mourra en juillet. Sa fille Nicole lui succède.

1625 Claude Gellée est de retour en Lorraine, et travaille à l'église des Carmes de Nancy sous la direction de Deruet. La Tour engage un nouvel apprenti, Charles Roynet. Coup d'État de Nancy : Nicole est déposé, François de Vaudémont prend le titre de duc, qu'il remet peu après à son fils Charles.

1626 Naissance de Christine de La Tour, qui survivra à ses parents, ainsi qu'à Étienne et Claude. La duchesse Nicole et Mme de Chevreuse sont au château de Lunéville pendant l'été. Menaces de peste en Lorraine.

1627 Moyenvic est occupé par les troupes impériales. En novembre, début du siège de La Rochelle. En décembre, le duc de Chevreuse rend visite à Fourier à l'abbaye Saint-Rémy de Lunéville.

1630-1635 Le duc de Lorraine permet aux troupes impériales d'occuper Vic et Moyenvic. Les Français reprendront Moyenvic en 1631.

Louis XIII et Richelieu sont en Lorraine en décembre 1631, à Vic et à Marsal en janvier 1632. En 1633, ils marchent sur Nancy, qui tombe sans combattre en septembre. Le roi séjourne chez Claude Deruet à Nancy, où il reste jusqu'en octobre. Mort de Jean Leclerc. C'est en 1633 que Sourdis entre à Lunéville, et en 1634 que la population lorraine prête serment au roi de France. La Lorraine est désormais sous protection française.

1635 Vente aux enchères à Tonnoy des biens du curé François Le Nerf, frère de Diane. En mars, le gouverneur de Brassac fait démolir les fortifications de Lunéville. Mort à Nancy de Jacques Callot. En novembre, sac de Saint-Nicolas.

1636 Antoine Nardoyen porte au maire de Tonnoy un billet rédigé par son oncle La Tour. Le peintre engage son frère François Nardoyen comme apprenti. Marie de La Tour est baptisée en mars : elle est filleule de Sambat de Pesdamont, gouverneur français de Lunéville. En août, François de La Tour, unique frère survivant de Georges, meurt à Vic.

1638 Sambat de Pesdamont se résout à incendier Lunéville, à l'approche des troupes lorraines. Les Français reprennent la ville et la saccagent. La Tour et sa famille se sont probablement réfugiés à Nancy.

1639 La Tour est à Paris au début de l'année « pour le service de sa majesté ». Sa famille est restée à Nancy, où il est de retour en septembre. En décembre, il est désigné peintre ordinaire du roi.

1640 Mention à Paris de « Baptiste Quarin, facteur de Monsieur de La Tour, peintre ordinaire du Roy, résidant aux galleryes du Louvre ». En décembre, arrivée à Paris de Poussin.

1641 Une « nuict représentant Saint Pierre lorsqu'il renye NostreSeignerc, painct par Latour (…) de quatre pieds de large sur trois pieds de haut ou environ » est signalée à Paris dans l'hôtel de Claude de Bullion. La Tour est à Lunéville en février. Son fils Étienne est désigné comme peintre à Lunéville.

1642 Actions en justice intentées contre La Tour à Lunéville. Mort de Richelieu.

1643 Un *Saint Jérôme* de La Tour figure dans l'inventaire après décès du cardinal. Le marquis de la Ferté-Senectère est nommé gouverneur de Lorraine. Mort de Louis XIII. En novembre, Chrétien George entre dans l'atelier de La Tour.

1644 La Tour est qualifié à Lunéville de « peintre fameux ». Un premier tableau, une *Nativité*, payée 700 francs, est exécuté pour La Ferté. À Paris, un *Saint Jérôme* figure dans l'inventaire de Simon Cornu, peintre du roi, cousin par alliance de Jacques Blanchard.

1645 Nouveau tableau pour La Ferté, sans indication de sujet. *Les Larmes de saint-Pierre* (Cleveland) portent la date de 1645.

1646 Requête adressée par les habitants de Lunéville au duc Charles IV, contre les privilégiés de la ville, parmi lesquels Georges de La Tour, qui se conduit comme s'il était « seigneur du lieu ».

1648 Contrat d'apprentissage de Jean-Nicolas Didelot, neveu du curé de Vic. En novembre, Georges et Étienne sont qualifiés de peintres ordinaires du roi. Affaire Drouin Bastien, que La Tour a bastonné. À la fin de l'année, ou au début de 1649, un *Saint Alexis* est livré au gouverneur de Nancy.

1649 Étienne loue une maison près de l'église Saint-Jacques. *Un Souffleur* « façon La Tour » est mentionné à Nancy dans l'inventaire après décès d'Antoine Grandpère, marchand. En décembre, Lunéville offre à La Ferté un *Saint Sébastien*, payé 700 francs.

1650 Nouvelle affaire de coups et blessures, dont La Tour est responsable. Inventaire après décès de Jean-Baptiste de Bretagne, à Paris, qui comporte cinq œuvres, diurnes et nocturnes, de La Tour. *Le Reniement de saint Pierre* (Nantes) est daté de 1650.

1651 En mars est présenté à La Ferté un *Reniement de saint Pierre*, payé 650 francs au peintre. Un dernier tableau, de sujet inconnu, sera livré au gouverneur la même année, et Étienne devra engager des poursuites pour obtenir l'intégralité de son paiement, fixé à 500 francs.

1652 15 janvier, mort de Diane Le Nerf ; 30 janvier, mort de Geroges de La Tour. Ses enfants ratifieront la donation verbale du meix des bergeries, faite aux capucins, et celle de 600 francs accordée par le peintre à Anne Roch sa servante.

I N D E X

Adoration des bergers (L') 21, 28-29, 40, 76, 78, 80, *82*
Alberti, Leon Battista 68
Ange apparaissant à saint Joseph (L') 10, *30-31*, 93
Apôtres d'Albi 33, 63, 86, 108, 114
Argent versé (L'). Voir *Paiement des taxes (Le)*
Aristote 68
Arland, Marcel 29
Arpin, le Cavalier d'. *Voir* Cesari, Giuseppe

Baburen, Dirck Van 57, 71
Bassano (les fils) 28, 109
Bellange, Jacques 13, 16, *38-39*, 41, 47, 49, 52, 57, 63, 68, 76, 87, 96, 101, 114
Bérulle, Pierre de, cardinal 21, 36
Bigot, Trophime 60
Blayer de Bariscord, Jean 38, 113
Bloemaert, Abraham 57, 76
Bretagne, Jean-Baptiste de 44-45, 66, 97
Brun, Barthélémy 113
Bullion, Claude de 20, 45, 80, 96

Cacault, François 30
Callot, Jacques 12-13, 15-16, 33, 40-41, 49, 52, 57, 67-68, 71, *79*, 88, 91, 101-102, 113-114
Camps, abbé de 33, 45
Caravage, Michelangelo Amerighi, dit le 16, *42-43*, 50, 57, 59, 63, 68-69, *70*-71, 96, 102
Carrache, Annibale *86*, 102
Cesari Giuseppe, dit le Cavalier d'Arpin 49
Champaigne, Philippe de *74*, *97*
Char, René 21, 27
Charles III, duc de Lorraine 11-12, 14, 38, 46, *52*, 57, 80, 91
Charles IV, duc de Lorraine 12, 14, 16, 45, 49, 53, 80, 91
Choné, Paulette 107
Conisbee, Philip 72
Cornu, Simon 45
Crispin de Passe 71

Découverte du corps de saint Alexis (La) 40, 47, *48*, 74, 102
Del Monte, cardinal 71
Deruet, Claude 16, 18, 49, 52, 67, 91, 102
Descartes, René 95
Deux Capucins en méditation au

clair de la chandelle 44-45
Didelot, Étienne 41
Didelot, Jean-Nicolas 56
Diseuse de bonne aventure (La) 22-23, 44, 47, *50-51*, 60, 68
Dogoz, Claude 13, 47, 113

Éducation de la Vierge (au livre) (L') *52-53*, 55
Éducation de la Vierge (à la broderie) (L') *54*-55

Elsheimer, Adam 57, 78
Extase de saint François (L') 59, 78, 80, 102
Extase de saint François (L') (Hartford) 59, *83*
Extase de saint François (L') (Le Mans) *58*, 59

Femme à la puce (La) *40*, 60-61, *61*, 72
Fiacre, Fiacre 113
Flûteurs jouant à la chandelle 45
Fourier, Pierre 46, 83, 105

Galilée, Galileo Galilei, dit 42
Gellée, Claude. *Voir* Lorrain
Gentileschi, Orazio 43
Georges, Pierre 102
Goltzius, Hendrick *29*, 57, 95
Graf, Urs 47
Greco, Domenikos Theotokopoulos, dit le 33, 109

Henri II, duc de Lorraine 12, 14-16, 21, 41, 45, 52, 83, 95
Henri IV 14, 52, 57, 91
Henriet, Claude 52
Honthorst, Gerrit Van 57, 60, 95, 100
Humbert, Jean 81

Isabelle Eugénie, infante d'Espagne 91

Jamot, Paul 106
Jean de la Croix, Juan de Yepes, dit saint 81
Job et sa femme 26, 27, 36, 72-73, *73*

La Ferté, Henri de 20, 29, 45, 47, 71
Lagneau, Nicolas 63, *97*
La Hière, Jean 83
La Hyre, Laurent de 74, 100

Lallemant, Georges 33, 57, *68*, *74*-*75*, 76, 86
Lambesc, Charles Eugène 95
Landry, Pierre 66
Larmes de saint Pierre (Les) 40, *76*-*77*, 98
La Ruelle, Claude de 91
La Tour, Diane de 12, 16, 18, 83, 97
La Tour, Étienne de 18, 47, 55, 98
L'Auge, André de 15, 21, 41, 46, 95, 102
Le Brun, Charles 27
Leclerc, Jean 16, 43, 52, 67, 71, *78-79*, 91, 95
Le Nain (les) 27, 66
Le Nerf, Diane. *Voir* La Tour, Diane de
Le Nôtre, André 20, 45
Léonard de Vinci 68
Léopold-Guillaume, archiduc 45
Lespine, Charles de 52
Le Sueur, Eustache 100
Lhomme, Jean 97, 102
Loloya, Ignace de 36
Longhi, Roberto 62, 66
Lorrain, Claude Gellée, dit le 16, *67*, 91
Louis XIII 12, 19, 44-45, 105
Louvois, André 20, 45
Lucas de Leyde 63

Mabuse, Jean Gossaert, dit 62
Madeleine au miroir (La), dite *Madeleine Fabius* *37*, 85, *88*
Madeleine pénitente (La) (Los Angeles) *4*-*5*, *36*, 85
Madeleine pénitente (thème) 11, 16, 19, 21, 27, 30, 36, 47, 56, 60, 76, 80, 85, 88, 114
Madeleine pénitente (La), dite *aux deux flammes* ou *Wrightsman* 85, *89-90*
Madeleine pénitente (La), dite *Madeleine Terff* *84*, 84-85
Maître de Serrone *69*
Malraux, André 27, 55
Mander, Karel Van 57
Manfredi, Bartolomeo 42, *50*
Mangeurs de pois (Les) 62, *86*
Marguerite de Gonzague 21, 81
Marie de Médicis 52, 57
Melian, Sybille 113
Mérimée, Prosper 66
Michel-Ange 102
Montcalve, Gagliemo Cacci, dit 105

GEORGES DE LA TOUR
DANS LES COLLECTIONS PUBLIQUES FRANÇAISES

ALBI
Musée Toulouse-Lautrec
Place Sainte-Cécile
81000 Albi

BERGUES
Musée municipal
1, rue du Mont-de-Piété
59380 Bergues

DIJON
Musée des Beaux-Arts
Place de la Sainte-Chapelle
21000 Dijon

ÉPINAL
Musée départemental des Vosges
1, place Lagarde
88000 Épinal

GRENOBLE
Musée des Beaux-Arts
5, place Lavalette
38000 Grenoble

NANCY
Musée historique lorrain
Grande-Rue
54000 Nancy

NANTES
Musée des Beaux-Arts
10, rue Georges Clémenceau
44000 Nantes

PARIS
Musée du Louvre
1, place du Carrousel
75001 Paris

REMIREMONT
Musée Charles-Friry
12, rue du Général-Humbert
88200 Remiremont

RENNES
Musée des Beaux-Arts
20, quai Émile-Zola
35000 Rennes

VIC-SUR-SEILLE
Musée historique
Hôtel de la Monnaie
57170 Vic-sur-Seille

Crédits photographiques : ALBI, musée des Beaux-Arts 35h, 35b ; BERLIN, Gemäldegalerie 56, 86b ; BRUXELLES, Musées Royaux des Beaux-Arts 74, 75h ; CLEVELAND, Museum of Art 76-77 ; DETROIT, Institute of Arts 50b, 54 ; DIJON, Déclic/Thierry de Girval 109 ; FORT WORTH, Kimbell Art Museum 70, 71 ; GRENOBLE, musée des Beaux-Arts 6, 19 ; HARTFORD, Wadsworth Atheneum 83 ; LE MANS, musée Tessé 58-59 ; LILLE, musée des Beaux-Arts 75b ; LONDRES, National Gallery 62b, 95, 97h ; LOS ANGELES, County Museum of Art 4, 5, 36 ; LUNÉVILLE, Archives municipales 97b ; MADRID, Museo del Prado 25 ; MALIBU, J. Paul Getty Museum 20, 100-101 ; MINNEAPOLIS, Institute of Arts 14 ; MUNICH, Alte Pinakotek 78-79h ; NANCY, Gilbert Mangin 79b ; Bernard Prudhomme 26, 72, 73 ; Musée historique lorrain 40h, 40b, 48, 52h, 60-61 ; NANTES, musée des Beaux-Arts 10, 31, 66, 98, 99 ; NEW YORK, Frick Collection 52b-53 ; Metropolitan Museum of Art 24, 47, 50-51, 89, 90 ; NORFOLK, Chrysler Museum 32 ; OBERLIN, Allen Memorial Art Museum 107 ; PARIS, Bibliothèque nationale de France 12-13, 39, 41h, 44, 46, 91, 114 ; Collège de France 45h, 45m, 45b ; École des beaux-arts 97m ; Réunion des musées nationaux couverture, 17, 21, 28-29, 41b, 42-43, 49, 67, 81, 82, 84, 94, 102, 103, 106, 108, 110, 111, 112h, 112b-113 ; REMIREMONT, musée Charles Fryri ; RENNES, musée des Beaux-Arts 27, 92-93 ; ROME, Galleria Colonna 86h ; SAINT-PÉTERSBOURG, musée de l'Ermitage 38 ; SAN FRANCISCO, Fine Arts Museums 62h, 63, 64, 65 ; SPOLETE, Archivio Coo. be.c 69 ; STOCKHOLM, Nationalmuseum 104 ; VARSOVIE, Musée national 68 ; WASHINGTON, National Gallery 37, 88.

Directeur de la Série Art : Stéphane GUÉGAN
Coordination éditoriale : Béatrice PETIT
Assistante d'édition : Chloé JARRY
Rewriting : Christine EHM
Direction artistique : Frédéric CÉLESTIN
Mise en pages : Thierry RENARD
Photogravure, Flashage : Pollina s.a., Luçon
Papier : BVS-Plus brillant 135 g. distribué par Axe Papier, Champigny-sur-Marne
Couverture imprimée par Pollina s.a., Luçon
Achevé d'imprimer et broché en décembre 1997 par Pollina s.a., Luçon

© 1997 Flammarion, Paris
ISBN : 2-08-012573-7
ISSN : 1275-1502
N° d'édition : FA 257303
N° d'impression : 73592
Dépôt légal : septembre 1997

Imprimé en France

pages 4-5 : *La Madeleine pénitente* (détails). Los Angeles, County Museum of Art.
page 6 : *Saint Jérôme pénitent* (détail). Grenoble, musée des Beaux-Arts.

Moore Turner, Percy 106

Nativité 29, 45
Nicole, fille d'Henri II, duc de
Lorraine 52
Nogent, Chrétien de 16, 45, 47
Nourrice avec un enfant 45
Nouveau-Né (Le) 27, 40, 66, 92-93

Paiement des taxes (Le) 47, 95-96, 96
Pascal, Blaise 95
Picinelli 40
Pontormo, Jacopo Carucci, dit 87, 87
Porcelets de Maillane, André des 106
Porcelets de Maillane, Jean des 11
Pourbus, Franz II, dit le Jeune 13, 57
Poussin, Nicolas 18, 20, 27, 74, 96-97, 102
Poynet, Adrien 38
Prenner 45

Rambervillers, Alphonse de 14, 38, 41, 45-46, 113
Raphaël 87, 102
Religieux endormi 45
Reniement de saint Pierre (Le) 24, 30, 40, 45, 47, 71, 96, 98-99, 106
Reni, Guido 105
Richelieu, Armand du Plessis, cardinal de 12, 14, 19, 44-45, 49, 80, 91, 96, 97, 105
Richier, Ligier 57
Ripa, Cesare 40, 88
Rixe des musiciens 20, 100-101
Rodolphe II 57

Rubens, Pierre Paul 57
Saint André 34
Saint Barthélemy 33
Saint François méditant 44
Saint Jacques le Mineur 33, 35
Saint Jean-Baptiste dans le désert 102-103
Saint Jérôme 19, 40, 44-45, 57, 74, 76, 96, 105, 108
Saint Jérôme lisant (Hampton Court) 105
Saint Jérôme lisant (Nancy) 105
Saint Jérôme pénitent (Grenoble) 6, 19, 44, 105
Saint Jérôme pénitent (Stockholm) 104, 104-105
Saint Joseph charpentier 11, 30, 36, 55, 74, 80-81, 81, 94, 106, 109
Saint Jude Thaddée 33, 35
Saint Paul 113
Saint Philippe 32
Saint Sébastien soigné par Irène 18-19, 43, 45, 74, 96, 107
Saint Sébastien soigné par Irène (Berlin) 56-57, 107
Saint Sébastien soigné par Irène (Louvre) 17, 43, 107
Saint Thomas (Albi) 33-34, 34 108
Saint Thomas (Louvre) 27, 47, 108
Saraceni, Carlo 43, 59, 78, 95
Seghers, Daniel 100
Seguin, Pierre 21, 46
Silvestre, Israël 102, 113
Souffleur à la lampe (Le) 98, 109
Sourdis, maréchal de 19, 45
Stendhal 66, 114
Sterling, Charles 27, 66, 68

Taine, Hippolyte 66, 92
Tassi, Agostino 67
Tempesta 49
Ter Brugghen, Hendrick Jansz 14, 43, 57, 95-96, 107
Thérèse d'Avila 30
Tricheur (thème) 20, 24, 44, 56, 60, 66, 74, 96, 112
Tricheur à l'as de carreau (Le) 44, 56, 71, 96, 110-112
Tricheur à l'as de trèfle (Le) 56, 71, 112

Urbain VIII 67

Valentin de Boulogne 43, 50, 71, 102
Valeriano 40
Vallier, Marin 113
Van Haarlem, Cornelisz 57
Vasari, Giorgio 87
Vaudémont, Charles de 18, 52
Velázquez, Diego 66
Vieillard 62, 64
Vieille Femme 63, 65
Vielleur (Le) (Bruxelles) 74-75, 114
Vielleur à la sacoche (Le) 114-115
Vielleur au chapeau (Le) 30, 56, 66, 114
Vielleur au chien (Le) 76, 114
Vielleur au ruban (Le) 25, 56, 114
Voss, Hermann 30, 66, 105
Vouet, Simon 50, 57, 97, 100, 102

Witz, Konrad 69
Wtewael, Joachim 57

Zurbarán, Diego de 33

BIBLIOGRAPHIE SÉLECTIVE

François-Georges Pariset, Georges de La Tour, Paris, Laurens, 1949.

Henri Tribout de Morembert, « Georges de La Tour, son milieu, sa famille, ses œuvres », Gazette des Beaux-Arts, n° 1263, Paris, 1974.

Paulette Choné, Emblèmes et pensée symbolique en Lorraine 1525-1633, Paris, Klincksieck, 1991.

Anne Reinbold, Georges de La Tour, Paris, Fayard, 1991.

Pierre Rosenberg et Marina Mojana, Georges de La Tour, Paris, Bordas, 1992.

L'Art en Lorraine au temps de Jacques Callot, catalogue d'exposition, Nancy, musée des Beaux-Arts, juin-septembre 1992.

Jacques Thuillier, Georges de La Tour, Paris, Flammarion, 1993.

Paulette Choné, Georges de La Tour. Un peintre lorrain au XVIIe siècle, Paris, Casterman, 1996.

Georges de La Tour and his World, catalogue d'exposition, Washington, National Gallery of Art, octobre 1996-janvier 1997.